RELATOS DEL CARIBE

EQUIPO EDITORIAL

Directora de la colección: Carmen Aguirre
Editora: Clara de la Flor
Coordinador técnico: Fernando de Bona
Diseño: Virginia Sardón

Reseñas de los autores: Aroa Moreno
Presentaciones de los relatos: Mar Paúl
Glosario español: Carmen Aguirre, Alfonso Leal
Glosario inglés: Terry Berne
Glosario francés: María Luz Castillo
Glosario alemán: Nadia Prauhart
Actividades: Ana Rubio, Sonia Bajo
Corrección: Rebeca Julio

Locuciones: Georbis Martínez, Arlette Torres,
Rennier Piñero

Primera edición: noviembre de 2012
ISBN: 978-84-939911-1-1
Depósito legal: M-32702-2012

Impreso en Omagraf
Printed in Spain – Impreso en España

RELATOS DEL CARIBE

Autores
Augusto Monterroso
Guillermo Cabrera Infante
Juan Bosch
Rubén Martínez Villena

ÍNDICE

11 Introducción

15 Relato 1

- 17 El autor. Augusto Monterroso
- 18 Presentación
- **20 Míster Taylor**
- 31 Glosario
- 33 Actividades

39 Relato 2

- 41 El autor. Guillermo Cabrera Infante
- 42 Presentación
- **44 Abril es el mes más cruel**
- 52 Glosario
- 53 Actividades

59 Relato 3
61 El autor. Juan Bosch
62 Presentación
64 La Nochebuena de Encarnación Mendoza
82 Glosario
85 Actividades

91 Relato 4
93 El autor. Rubén Martínez Villena
94 Presentación
96 En automóvil
114 Glosario
118 Actividades

124 Soluciones

INTRODUCCIÓN

Relatos del Caribe es el cuarto título de esta colección de libros con audio. Con este nuevo título pretendemos acercar al aprendiz de español a los mejores escritores de cuentos de la literatura centroamericana y caribeña. Este libro nos acerca un poco más al objetivo de la colección: presentar la variedad y la riqueza literaria y lingüística del español en el mundo.

Esta es una cuidada selección de cuatro relatos en sus versiones originales. Como este libro va dirigido a estudiantes de español (niveles B2-C2), facilitamos toda una serie de ayudas para que los textos sean comprendidos en su totalidad. Por eso, cada página tiene explicaciones en español de las palabras más difíciles. Además, esas palabras se presentan en un glosario traducidas al inglés, francés y alemán al final de cada relato. Para facilitar su lectura, todos los cuentos se acompañan de una presentación del autor y una presentación del relato que ayuda a contextualizarlos y a profundizar en su contenido.

Uno de los objetivos de este libro es ayudar en la preparación del DELE. Por esta razón, todos los relatos están acompañados de actividades de una modalidad y una dificultad muy similar a las que aparecen en estos exámenes.

Los relatos han sido leídos por actores cubanos y venezolanos para acercar al estudiante al español del Caribe, con sus peculiaridades de acento. Percibirás la pronunciación como *s* de la *c* y la *z*, habitual en toda Hispanoamérica y también la debilitación de la *r* y su acercamiento a la *l* en posición final de sílaba, tan típica de Cuba y Santo Domingo; pero además notarás la especial musicalidad del español de esta zona.

Te animamos a disfrutar y aprender con estos magníficos relatos aptos para el más exigente de los lectores.

RELATO 1

Míster Taylor
Augusto Monterroso

EL AUTOR
AUGUSTO MONTERROSO (Honduras, 1921 – México, 2003)

«Desde pequeño fui pequeño». Así se definía este irónico fabulador hondureño que pasó a la historia de la literatura universal con *El dinosaurio*, la condensación magistral de un relato en siete palabras: «Cuando despertó, el dinosaurio todavía estaba allí».

Vivió en Guatemala, donde sufrió la persecución política por su oposición a la dictadura de Jorge Ubico y se exilió en México, donde desarrolló su carrera como escritor; y de México a Chile, donde fue secretario de Pablo Neruda.

Su obra, inteligente, risueña y provocadora, *La oveja negra y demás fábulas* (1969), *Movimiento perpetuo* (1972), *Lo demás es silencio* (1978), es material imprescindible de estudio para los amantes del relato. Para Monterroso, lo más importante era mover al lector a pensar, a reflexionar. Por eso, cultivaba la fábula y el humor inteligente. Monterroso es un clásico de la literatura hispanoamericana del siglo xx. En 1996 recibió el Premio Juan Rulfo y en el año 2000 el Príncipe de Asturias de las Letras. Su último libro, *Pájaros de Hispanoamérica* (2002), se presentó meses antes de su muerte.

PRESENTACIÓN
MÍSTER TAYLOR

Rara vez la literatura que nace pegada a una circunstancia política o que defiende unos principios ideológicos consigue una calidad artística suficiente para ser unánimemente reconocida. Más aún si nace de la indignación como es el caso de *Míster Taylor*, uno de los primeros textos escritos y publicados por Augusto Monterroso. Fue, según su propia confesión, su respuesta, allá por 1954, al derrocamiento del presidente de Guatemala, Jacobo Arbenz, atribuido al imperialismo norteamericano.

Monterroso lleva al extremo del absurdo las relaciones abusivas de los Estados Unidos con América Latina al plantear la exitosa comercialización de cabezas humanas reducidas, "dado el aprecio que allí se siente por las manifestaciones culturales hispanoamericanas". Mr. Taylor, que inicia el negocio a partir de un hecho accidental, no tiene reparos en hacerlo instigado por un tío suyo. Veremos que en la caracterización del personaje y, por extensión, del país del que proviene, la sensibilidad artística, el goce estético y el espíritu están asociados a lo comercial y lo lucrativo: «Los términos comerciales hicieron vibrar como nunca las cuerdas del sensible espíritu de Mr. Taylor».

La ironía de Monterroso, tan sutil unas veces que pasa desapercibida o tan demoledora otras que desemboca en el humor más negro y corrosivo, no dará tregua ni al personaje ni a su país. Y así el texto se llena de referencias encubiertas a la realidad: los 99 años de concesión de explotación remiten al contrato del canal de Panamá, el refresco de fórmula mágica a Coca-Cola, la Compañía a la United Fruit Company, etc. Las palabras se combinan para reforzar los contrastes (guerrero Ejecutivo, brujos Legislativos) e incrementar la burla y, en paralelo, se desmitifican, en el discurrir de la historia, las grandes palabras, democracia, progreso, justicia…, y se ponen en evidencia algunos de los vicios de la sociedad moderna: el consumo desaforado, el sometimiento a las modas, el afán de distinguirse o de asemejarse y, en definitiva, la inmoralidad sobre la que se asienta una forma de vida. Monterroso multiplica los significados, las alusiones, incluso los pequeños guiños metaliterarios, «de un salto (que no hay para qué llamar felino)», para mostrar también el desgaste de las propias palabras.

Conviene señalar que el texto comienza con la apariencia de tener una parte previa omitida y como una narración oral envuelta en cierta vaguedad («se sabe, aparece»). Es uno de los recursos posibles para incluir al lector en el marco narrativo y hacerlo de algún modo cómplice, intento que se reafirma con apelaciones directas («bueno, si lo quieren saber, así será») o con referencias intertextuales falsas o con citas literarias no declaradas, pero reconocibles para un lector medianamente culto, como la de Calderón de la Barca («tan pobre y mísero estaba que cierto día se internó en la selva en busca de hierbas para alimentarse») o como la más general, por el grado que alcanza la sátira, de Jonathan Swift.

En fin, Augusto Monterroso supo conjurar el peligro, del que fue muy consciente, que entrañaba partir del enojo para hacer buena literatura, y *Míster Taylor* es el resultado y, además, creemos, un magnífico acercamiento a uno de los escritores americanos más interesantes del siglo XX.

AUDIO 1
MÍSTER TAYLOR

Locución: Rennier Piñero
Acento: Venezolano
Duración: 17’04”

Míster Taylor

Augusto Monterroso

—Menos rara, aunque sin duda más ejemplar —dijo entonces el otro—, es la historia de Mr. Percy Taylor, cazador de cabezas en la selva amazónica.

Se sabe que en 1937 salió de Boston, Massachusetts, en donde había pulido su espíritu[1] hasta el extremo de no tener un centavo. En 1944 aparece por primera vez en América del Sur, en la región del Amazonas, conviviendo con los indígenas de una tribu cuyo nombre no hace falta recordar.

Por sus ojeras[2] y su aspecto famélico[3] pronto llegó a ser conocido allí como «el gringo pobre», y los niños de la escuela hasta lo señalaban con el dedo y le tiraban piedras cuando pasaba con su barba brillante bajo el dorado sol tropical. Pero esto no afligía[4] la humilde condición de Mr. Taylor porque había leído en el primer tomo[5] de las *Obras Completas* de William G. Knight que si no se siente envidia de los ricos la pobreza no deshonra[6].

En pocas semanas los naturales se acostumbraron a él y a su ropa extravagante. Además, como tenía los ojos azules y un

1 pulir el espíritu: educar a alguien para que sea más elegante y refinando, pero también derrochar dinero (aquí están cruzados los dos significados) **2 ojeras:** mancha oscura que se forma alrededor de los ojos, suele ser síntoma de mala salud **3 famélico:** excesivamente delgado, con aspecto de pasar hambre **4 afligir:** causar tristeza **5 tomo:** volumen de una serie de libros que tienen el mismo título **6 deshonrar:** quitar el honor

vago[7] acento extranjero, el presidente y el ministro de Relaciones Exteriores lo trataban con singular respeto, temerosos de provocar incidentes internacionales.

Tan pobre y mísero estaba, que cierto día se internó en la selva en busca de hierbas para alimentarse. Había caminado cosa de varios metros sin atreverse a volver el rostro, cuando por pura casualidad vio a través de la maleza[8] dos ojos indígenas que lo observaban decididamente. Un largo estremecimiento recorrió la sensitiva espalda de Mr. Taylor. Pero Mr. Taylor, intrépido, arrostró[9] el peligro y siguió su camino silbando como si nada hubiera visto.

De un salto (que no hay para qué llamar felino) el nativo se le puso enfrente y exclamó:

—*Buy head? Money, money.*

A pesar de que el inglés no podía ser peor, Mr. Taylor, algo indispuesto[10], sacó en claro que el indígena le ofrecía en venta una cabeza de hombre, curiosamente reducida, que traía en la mano.

Es innecesario decir que Mr. Taylor no estaba en capacidad de comprarla; pero como aparentó no comprender, el indio se sintió terriblemente disminuido por no hablar bien el inglés, y se la regaló pidiéndole disculpas.

Grande fue el regocijo[11] con que Mr. Taylor regresó a su choza[12]. Esa noche, acostado boca arriba sobre la precaria estera[13] de palma que le servía de lecho, interrumpido tan solo

7 vago: ligero **8 maleza:** grupo de arbustos o hierbas altas **9 arrostrar:** hacer frente a un peligro con valentía **10 estar indispuesto:** sentirse mal, estar molesto **11 regocijo:** alegría
12 choza: casa en el campo pequeña y pobre, hecha con ramas y palos
13 estera: alfombra pequeña hecha con materiales vegetales, como esparto o palma

por el zumbar[14] de las moscas acaloradas que revoloteaban en torno haciéndose obscenamente el amor, Mr. Taylor contempló con deleite durante un buen rato su curiosa adquisición. El mayor goce estético lo extraía de contar, uno por uno, los pelos de la barba y el bigote, y de ver de frente el par de ojillos entre irónicos que parecían sonreírle agradecidos por aquella deferencia.

Hombre de vasta cultura, Mr. Taylor solía entregarse a la contemplación; pero esta vez en seguida se aburrió de sus reflexiones filosóficas y dispuso obsequiar la cabeza a un tío suyo, Mr. Rolston, residente en Nueva York, quien desde la más tierna infancia había revelado una fuerte inclinación por las manifestaciones culturales de los pueblos hispanoamericanos.

Pocos días después el tío de Mr. Taylor le pidió —previa indagación[15] sobre el estado de su importante salud— que por favor lo complaciera[16] con cinco más. Mr. Taylor accedió gustoso al capricho de Mr. Rolston y —no se sabe de qué modo— a vuelta de correo «tenía mucho agrado en satisfacer sus deseos». Muy reconocido, Mr. Rolston le solicitó otras diez. Mr. Taylor se sintió «halagadísimo[17] de poder servirlo». Pero cuando pasado un mes aquel le rogó el envío de veinte, Mr. Taylor, hombre rudo y barbado pero de refinada sensibilidad artística, tuvo el presentimiento de que el hermano de su madre estaba haciendo negocio con ellas.

14 zumbar: ruido que hacen los insectos al volar **15 indagación:** acto de preguntar o investigar para descubrir algo **16 complacer:** dar gusto, agradar **17 sentirse halagado:** sentirse valorado porque el otro nos da muestras de admiración y estimación

Bueno, si lo quieren saber, así era. Con toda franqueza, Mr. Rolston se lo dio a entender en una inspirada carta cuyos términos resueltamente comerciales hicieron vibrar como nunca las cuerdas del sensible espíritu de Mr. Taylor.

De inmediato concertaron una sociedad en la que Mr. Taylor se comprometía a obtener y remitir[18] cabezas humanas reducidas en escala industrial, en tanto que Mr. Rolston las vendería lo mejor que pudiera en su país.

Los primeros días hubo algunas molestas dificultades con ciertos tipos del lugar. Pero Mr. Taylor, que en Boston había logrado las mejores notas con un ensayo sobre Joseph Henry Silliman, se reveló como político y obtuvo de las autoridades no solo el permiso necesario para exportar, sino, además, una concesión exclusiva por noventa y nueve años. Escaso trabajo le costó convencer al guerrero Ejecutivo y a los brujos Legislativos de que aquel paso patriótico enriquecería en corto tiempo a la comunidad, y de que luego luego estarían todos los sedientos aborígenes en posibilidad de beber (cada vez que hicieran una pausa en la recolección de cabezas), de beber un refresco bien frío, cuya fórmula mágica él mismo proporcionaría.

Cuando los miembros de la Cámara, después de un breve pero luminoso esfuerzo intelectual, se dieron cuenta de tales ventajas, sintieron hervir su amor a la patria y en tres días

18 remitir: enviar

promulgaron un decreto[19] exigiendo al pueblo que acelerara la producción de cabezas reducidas.

Contados meses más tarde, en el país de Mr. Taylor las cabezas alcanzaron aquella popularidad que todos recordamos. Al principio eran privilegio de las familias más pudientes[20]; pero la democracia es la democracia y, nadie lo va a negar, en cuestión de semanas pudieron adquirirlas hasta los mismos maestros de escuela.

Un hogar sin su correspondiente cabeza teníase por un hogar fracasado. Pronto vinieron los coleccionistas y, con ellos, las contradicciones: poseer diecisiete cabezas llegó a ser considerado de mal gusto; pero era distinguido tener once. Se vulgarizaron tanto que los verdaderos elegantes fueron perdiendo interés y ya solo por excepción adquirían alguna, si presentaba cualquier particularidad que la salvara de lo vulgar. Una, muy rara, con bigotes prusianos, que perteneciera en vida a un general bastante condecorado, fue obsequiada al Instituto Danfeller, el que a su vez donó, como de rayo[21], tres millones y medio de dólares para impulsar el desenvolvimiento[22] de aquella manifestación cultural, tan excitante, de los pueblos hispanoamericanos.

Mientras tanto, la tribu había progresado en tal forma que ya contaba con una veredita[23] alrededor del Palacio Legislativo. Por esa alegre veredita paseaban los domingos y el Día de la

19 promulgar un decreto: crear una ley **20 pudiente:** con dinero **21 como de rayo:** rápidamente **22 desenvolvimiento:** desarrollo **23 vereda:** camino

Independencia los miembros del Congreso, carraspeando[24], luciendo sus plumas, muy serios, riéndose, en las bicicletas que les había obsequiado la Compañía.

Pero ¿qué quieren? No todos los tiempos son buenos. Cuando menos lo esperaban se presentó la primera escasez de cabezas.

Entonces comenzó lo más alegre de la fiesta.

Las meras defunciones[25] resultaron ya insuficientes. El ministro de Salud Pública se sintió sincero, y una noche caliginosa[26], con la luz apagada, después de acariciarle un ratito el pecho como por no dejar, le confesó a su mujer que se consideraba incapaz de elevar la mortalidad a un nivel grato a los intereses de la Compañía, a lo que ella le contestó que no se preocupara, que ya vería cómo todo iba a salir bien, y que mejor se durmieran.

Para compensar esa deficiencia administrativa fue indispensable tomar medidas heroicas y se estableció la pena de muerte en forma rigurosa.

Los juristas se consultaron unos a otros y elevaron a la categoría de delito[27], penado con la horca o el fusilamiento, según su gravedad, hasta la falta más nimia[28].

Incluso las simples equivocaciones pasaron a ser hechos delictuosos[29]. Ejemplo: si en una conversación banal, alguien, por puro descuido, decía «hace mucho calor», y posteriormen-

24 carraspear: hacer ruido con la garganta **25 defunción:** muerte **26 caliginoso:** oscuro, con niebla **27 delito:** falta grave, algo que se hace en contra de la ley **28 nimio:** pequeño, sin importancia **29 delictuoso:** delictivo, hecho considerado un delito

te podía comprobársele, termómetro en mano, que en realidad el calor no era para tanto, se le cobraba un pequeño impuesto y era pasado ahí mismo por las armas, correspondiendo la cabeza a la Compañía y, justo es decirlo, el tronco y las extremidades a los dolientes[30].

La legislación sobre las enfermedades ganó inmediata resonancia y fue muy comentada por el cuerpo diplomático y por las cancillerías de potencias amigas.

De acuerdo con esa memorable legislación, a los enfermos graves se les concedían veinticuatro horas para poner en orden sus papeles y morirse; pero si en este tiempo tenían suerte y lograban contagiar a la familia, obtenían tantos plazos de un mes como parientes fueran contaminados. Las víctimas de enfermedades leves y los simplemente indispuestos merecían el desprecio de la patria y, en la calle, cualquiera podía escupirles[31] el rostro. Por primera vez en la historia fue reconocida la importancia de los médicos (hubo varios candidatos al Premio Nobel) que no curaban a nadie. Fallecer[32] se convirtió en ejemplo del más exaltado patriotismo, no solo en el orden nacional, sino en el más glorioso, en el continental.

Con el empuje que alcanzaron otras industrias subsidiarias (la de ataúdes[33], en primer término, que floreció con la asistencia técnica de la Compañía) el país entró, como se dice, en un periodo de gran auge económico. Este impulso fue

30 doliente: persona afectada por la muerte de un familiar o amigo **31 escupir:** echar saliva con fuerza por la boca **32 fallecer:** morir **33: ataúd:** caja de madera en la que se coloca a la persona que ha muerto

particularmente comprobable en una nueva veredita florida, por la que paseaban, envueltas en la melancolía de las doradas tardes de otoño, las señoras de los diputados, cuyas lindas cabecitas decían que sí, que sí, que todo estaba bien, cuando algún periodista solícito[34], desde el otro lado, las saludaba sonriente sacándose el sombrero.

Al margen recordaré que uno de estos periodistas, quien en cierta ocasión emitió un lluvioso estornudo que no pudo justificar, fue acusado de extremista y llevado al paredón[35] de fusilamiento. Solo después de su abnegado fin, los académicos de la lengua reconocieron que ese periodista era una de las más grandes cabezas del país; pero una vez reducida quedó tan bien que ni siquiera se notaba la diferencia.

¿Y Mr. Taylor? Para ese tiempo ya había sido designado consejero particular del presidente constitucional. Ahora, y como ejemplo de lo que puede el esfuerzo individual, contaba los miles por miles; mas esto no le quitaba el sueño porque había leído en el último tomo de las *Obras completas* de William G. Knight que ser millonario no deshonra si no se desprecia a los pobres.

Creo que con esta será la segunda vez que diga que no todos los tiempos son buenos. Dada la prosperidad del negocio llegó un momento en que del vecindario[36] solo iban quedando ya las autoridades y sus señoras y los periodistas y sus señoras. Sin mucho esfuerzo, el cerebro de Mr. Taylor discurrió que el

34 solícito: diligente, rápido en satisfacer un deseo porque quiere agradar **35 paredón:** muro en el que se coloca a la gente que va a ser fusilada **36 vecindario:** conjunto de vecinos

único remedio posible era fomentar la guerra con las tribus vecinas. ¿Por qué no? El progreso.

Con la ayuda de unos cañoncitos, la primera tribu fue limpiamente descabezada en escasos tres meses. Mr. Taylor saboreó la gloria de extender sus dominios. Luego vino la segunda; después la tercera y la cuarta y la quinta. El progreso se extendió con tanta rapidez que llegó la hora en que, por más esfuerzos que realizaron los técnicos, no fue posible encontrar tribus vecinas a quienes hacer la guerra.

Fue el principio del fin.

Las vereditas empezaron a languidecer[37]. Solo de vez en cuando se veía transitar por ellas a alguna señora, a algún poeta laureado con su libro bajo el brazo. La maleza, de nuevo, se apoderó de las dos, haciendo difícil y espinoso[38] el delicado paso de las damas. Con las cabezas, escasearon las bicicletas y casi desaparecieron del todo los alegres saludos optimistas.

El fabricante de ataúdes estaba más triste y fúnebre[39] que nunca. Y todos sentían como si acabaran de recordar[40] de un grato sueño, de ese sueño formidable en que tú te encuentras una bolsa repleta de monedas de oro y la pones debajo de la almohada y sigues durmiendo y al día siguiente muy temprano, al despertar, la buscas y te hallas con el vacío.

Sin embargo, penosamente, el negocio seguía sosteniéndose. Pero ya se dormía con dificultad, por el temor a amanecer exportado.

37 languidecer: estropearse poco a poco un ser vivo **38 espinoso:** (aquí) problemático **39 fúnebre:** relacionado con la muerte, de aspecto triste **40 recordar:** aquí tiene el significado antiguo de «despertar»

En la patria de Mr. Taylor, por supuesto, la demanda era cada vez mayor. Diariamente aparecían nuevos inventos, pero en el fondo nadie creía en ellos y todos exigían las cabecitas hispanoamericanas.

Fue para la última crisis. Mr. Rolston, desesperado, pedía y pedía más cabezas. A pesar de que las acciones de la Compañía sufrieron un brusco[41] descenso, Mr. Rolston estaba convencido de que su sobrino haría algo que lo sacara de aquella situación. Los embarques, antes diarios, disminuyeron a uno por mes, ya con cualquier cosa, con cabezas de niños, de señoras, de diputados.

De repente cesaron del todo.

Un viernes áspero[42] y gris, de vuelta de la Bolsa, aturdido[43] aún por la gritería y por el lamentable espectáculo de pánico que daban sus amigos, Mr. Rolston se decidió a saltar por la ventana (en vez de usar el revólver, cuyo ruido lo hubiera llenado de terror) cuando al abrir un paquete del correo se encontró con la cabecita de Mr. Taylor, que le sonreía desde lejos, desde el fiero Amazonas, con una sonrisa falsa de niño que parecía decir: «Perdón, perdón, no lo vuelvo a hacer».

FIN

«Míster Taylor», de Augusto Monterroso. Incluido en *Obras completas (y otros cuentos)*, 1959.

41 brusco: (aquí) repentino, rápido **42 áspero:** desagradable, nada suave al tacto
43 aturdido: con la mente confusa

GLOSARIO

ESPAÑOL	INGLÉS	FRANCÉS	ALEMÁN
1 pulir el espíritu	to become refined; (here also) waste money	manger son bien par les deux bouts	sein ganzes Geld ausgeben
2 ojeras	rings under one's eyes	cernes	Augenringe
3 famélico	starving	famélique, affamé	ausgehungert
1 afligir	to upset	affliger	betrüben
5 tomo	volume	tome	Band
6 deshonrar	to disgrace	déshonorer	Schande machen
7 vago	vague	vague	vage
8 maleza	undergrowth	brousse	Unterholz
9 arrostrar	to confront	affronter, braver	die Stirn bieten
10 indispuesto	annoyed	contrarié	unwohl
11 regocijo	delight	joie	Freude
12 choza	hut	hutte	Hütte
13 estera	mat	natte	Matte
14 zumbar	buzzing	bourdonner	brummen
15 indagación	inquiry	investigation	Untersuchung
16 complacer	to indulge	complaire	entgegenkommen
17 sentirse halagado	to feel flattered	se sentir flatté	sich geschmeichelt fühlen
18 remitir	to send	expédier	schicken
19 promulgar un decreto	to issue a decree	promulguer un décret	ein Dekret erlassen
20 pudiente	wealthy	nanti, riche	vermögend

ESPAÑOL	INGLÉS	FRANCÉS	ALEMÁN
21 como de rayo	like lightning	comme l'éclair	wie ein Blitz
22 desenvolvimiento	development	développement	Entwicklung
23 vereda	lane	laie, sentier	Pfad
24 carraspear	to clear one's throat	se racler la gorge	hüsteln
25 defunción	death	décès	Ableben, Tod
26 caliginoso	gloomy, foggy	nébuleux	nebelig
27 delito	crime	délit	Verbrechen
28 nimio	trivial	insignifiant	unbedeutsam
29 delictuoso	criminal	acte criminel	verbrecherisch
30 doliente	bereaved	endeuillé	Leidtragende
31 escupir	to spit	cracher	spucken
32 fallecer	to die	décéder	sterben
33 ataúd	coffin	cercueil	Sarg
34 solícito	attentive	prévenant	aufmerksam
35 paredón	wall	gros mur	Wand
36 vecindario	neighborhood	voisinage	Nachbarschaft
37 languidecer	to languish	languir	verkümmern
38 espinoso	thorny	épineux	dornig
39 fúnebre	mournful	funèbre	düster
40 recordar	to remember	rappeler	erinnern
41 brusco	sudden	brusque	plötzlich
42 áspero	rough, disagreeable	désagréable	rau
43 aturdido	bewildered	abasourdir	bestürzt

ACTIVIDADES

A. Elija la respuesta adecuada según el texto.

1. Mr. Percy Taylor
- **a.** se trasladó a vivir a América del Sur víctima de diversos incidentes internacionales con la clase política estadounidense.
- **b.** llegó a vivir de lo poco que recogía en la selva amazónica.
- **c.** se tropezó en la selva con un indígena que pretendía asesinarlo para reducir su cabeza.

2. Admirando en su choza el inesperado regalo recibido, Mr. Taylor
- **a.** dilucidó un plan para sacar provecho del obsequio.
- **b.** se acordó de que su tío coleccionaba miniaturas.
- **c.** se sumergió en el placer que le aportaba contemplar rasgo a rasgo la cabeza reducida.

3. La vida de Mr. Taylor dio un giro de 180 grados
- **a.** al unirse al suculento negocio que su tío le ofrecía.
- **b.** cuando dió sus primeros pasos como político y llegó a ser respetado por todas las tribus.
- **c.** porque logró vender las cabezas humanas reducidas a un precio nada respetable.

4. El negocio de exportación de cabezas humanas reducidas
- **a.** trajo prosperidad a la región.
- **b.** provocó celos entre las clases más altas.
- **c.** acabó convirtiéndose en un delito grave.

5. Ante la imposibilidad de conseguir materia prima para seguir ampliando el negocio

a. se crearon leyes para fomentar los asesinatos masivos.
b. se concedieron beneficios extraordinarios a los enfermos terminales.
c. los médicos se negaron a ejercer su labor en los hospitales.

6. Mr. Taylor, en un último intento por mantener el negocio,

a. decide suicidarse ante la incapacidad de conseguir más cabezas para reducirlas.
b. decidió dimitir para que otro más inteligente pudiera dirigir la empresa.
c. se convirtió en un instigador, provocando guerras entre las tribus.

B. Sustituya la palabra o expresión en negrita por un sinónimo.

1. En pocas semanas **los naturales** se acostumbraron a él y a su ropa **extravagante** y el presidente y el ministro de relaciones exteriores lo trataban con **singular** respeto.
los nativos / los primitivos / los foráneos - anormal / pintoresca / alocada - misterioso / extraño / notable

2. **A pesar de que** el inglés no podía ser peor, Mr. Taylor **sacó en claro** que el indígena le ofrecía en venta una cabeza de hombre **curiosamente** reducida.
sin embargo / pese a que / bien que - tuvo idea / llegó a la evidencia de / aclaró - extrañamente / estupendamente / cuidadamente

3. Hombre de **vasta** cultura, Mr. Taylor solía entregarse a la contemplación, pero esta vez **dispuso** obsequiar la cabeza a un tío suyo.
gran / exigua / delicada - organizó / determinó / ordenó

4. Era **distinguido** poseer once cabezas, **sin embargo** tener hasta diecisiete se consideraba **de mal gusto**.
elegante / diferenciador / deslucido - de lo contrario / además / pero - poco elegante / ordinario / con poca gracia

5. Para compensar esa **deficiencia** administrativa, fue **indispensable** tomar medidas heroicas y se **estableció** la pena de muerte de forma rigurosa.
carencia / anormalidad / trama - indiscutible / necesario / lógico - implantó / afincó / radicalizó

6. Sin mucho esfuerzo el cerebro de Mr. Taylor **discurrió** que **el único remedio** posible era **fomentar** la guerra entre las tribus vecinas.
infirió / conjeturó / dedujo - la única solución / el único alivio / el único antídoto - obstaculizar / aliviar / provocar

C. Detecte los dos errores que se encuentran en cada frase.

1. Ya que dice el escritor Willian G. Knight: «La pobreza no deshonra como no se siente envidia».
2. A Mr. Taylor no le costó trabajo convencer a los altos cargos políticos para que su negocio enriquecería a corto tiempo a la comunidad.

3. Después de algunos meses, las cabezas se convirtieron por algo muy popular, que se extendiera entre todas las clases sociales.
4. Los enfermos leves o simplemente indispuestos sufrían el desprecio de los ciudadanos y cualquier tenía el derecho de escupirle hacia la cara.
5. El progreso se extendió rápidamente, de forma que, aunque los técnicos harían todos los esfuerzos posibles, fue imposible encontrar tribus vecinas para hacerlos la guerra.
6. El tío de Mr. Taylor era totalmente convencido de que se puede encontrar una solución para sacarlo de aquel problema.

D. Elija la opción que se acerque más al sentido del texto.

1. humilde	**a.** Que es inferior a alguien. **b.** Que vive modestamente.
2. internarse	**a.** Disponer o realizar el ingreso de alguien en un establecimiento, como un hospital, una clínica, una prisión. **b.** Penetrar o avanzar hacia dentro en un lugar.
3. deleite	**a.** Diversión, entretenimiento. **b.** Placer del ánimo.
4. capricho	**a.** Determinación que se toma de manera arbitraria, inspirada por un antojo, por humor o por deleite en lo extravagante y original. **b.** Obra de arte en que el ingenio o la fantasía rompen con la observación de las reglas.
5. vereda	**a.** Camino estrecho en el campo, formado comúnmente por el tránsito de personas y ganados. **b.** Acera por la que caminan las personas en una calle.
6. pegar	**a.** Adherir una cosa con otra. **b.** Contagiar o transmitir una enfermedad.
7. florecer	**a.** Echar flores. **b.** Prosperar, crecer en riqueza o reputación.

E. En el cuento se describen las diversas etapas que atraviesa Mr. Taylor, desde que llega a la selva amazónica hasta que muere. Reconstruya esos cambios utilizando diversas estructuras que demuestren una transformación: *ponerse, volverse, hacerse, quedarse, llegar a ser, dejar de, seguir, terminar...*

F. ¿Qué entiende por «manifestación cultural»? ¿Reducir cabezas forma parte de una manifestación cultural? ¿Qué cree que simboliza? ¿Conoce otro tipo de manifestaciones culturales? ¿Está de acuerdo con todas ellas?

G. ¿Qué piensa sobre esta frase: «Las manifestaciones culturales más importantes siempre se han hecho a través de las artes; el artista expresa en su obra cosas que de otro modo tendría que explicar con palabras»?

H. El sarcasmo y la ironía predominan en la obra de este autor. ¿Qué elementos irónicos ha encontrado en el relato?, ¿qué paralelismos con la historia reciente y la sociedad actual?

I. La frase «El hombre es un lobo para el hombre», popularizada en el siglo XVII por el filósofo inglés Thomas Hobbs, forma parte ya de la cultura popular y se emplea para explicar un concepto. ¿Cuál es ese concepto? ¿Qué relación puede tener con el cuento?

SOLUCIONES EN LA PÁGINA 125

RELATO 2

Abril es el mes más cruel

Guillermo Cabrera Infante

EL AUTOR
GUILLERMO CABRERA INFANTE (Cuba, 1929 – Reino Unido, 2005)

Guillermo Cabrera Infante nació en Gibara en 1929. Hijo de militantes comunistas cubanos, tuvo su primer encuentro con la represión a los siete años, cuando sus padres fueron arrestados e ingresó en la cárcel junto a ellos. Con la llegada de Fidel Castro, en 1959, Cabrera Infante, que siempre había apoyado el comunismo, fue nombrado subdirector del periódico *Revolución* (hoy *Gramma*), encargándose de su suplemento literario. Sus sueños de libertad y desarrollo cultural para Cuba le costaron el exilio hasta el final de sus días. Fue Premio Cervantes en 1997. Murió en Londres en 2005.

Su literatura, llena de agudezas, hipérbatos, juegos del lenguaje, imitaba en su ritmo al jazz. Maestro del registro coloquial de su país natal, poseedor de una vasta cultura y de un afilado sentido del humor, describió en sus obras la vida de la isla como ningún otro autor. En 1960 publicó *Así en la paz como en la guerra*, donde reunió los relatos escritos entre 1950 y 1958. *Tres tristes tigres* (1968) fue la novela que le dio reconocimiento mundial. Describía la vida de tres jóvenes revolucionarios en La Habana. El régimen la tildó de contrarrevolucionaria y a él de traidor. Cabrera Infante nunca volvió a su país, pero siguió viviendo en él a través de sus páginas.

PRESENTACIÓN
ABRIL ES EL MES MÁS CRUEL

El relato de Guillermo Cabrera Infante es de una extraordinaria sencillez y concisión. La historia también es muy simple: una pareja joven y enamorada disfruta su luna de miel junto al mar, entregada a las sensaciones de unos días soleados de abril. El bienestar y la armonía de la relación, apenas perturbado por una ligera quemadura en el cuerpo de ella, es total. Ninguno se ha sentido mejor antes. Nunca han conocido esa plenitud de la vida. Sería maravilloso que durara siempre. *Nunca* y *siempre* son palabras que repiten ambos numerosas veces: «Te querré siempre»; «no nos divorciaremos nunca»... Pero la única garantía de hacer eterna la felicidad es detener el tiempo.

Sin embargo, el chico (a ninguno de los personajes se le da nombre), cuando es interrogado sobre su propio bienestar, se da cuenta de que traducirlo en palabras puede ser inexacto porque «las palabras siempre traicionan». Esto, que es la clara conciencia de los límites de la comunicación humana, quizá nos orienta a nosotros, como lectores, en las claves de interpretación del texto. Las palabras apenas son una señal, un indicio, incompleto o deformado, de las corrientes subterráneas de nuestra mente y nuestro espíritu.

El escritor, por su parte, se enfrenta al gran reto de construir con ellas mundos de ficción y el lector no posee otros medios para hallar su sentido que indagar en ellas. Unos y otros nos enfrentamos al esfuerzo de convertir en palabras ideas, sentimientos, emociones, etc., para comunicar y crearnos la ilusión de haber sido entendidos.

El relato adopta el punto de vista del chico, aunque está narrado desde una tercera persona omnisciente. Es un narrador (muy próximo a los creados por Ernest Hemingway en sus cuentos) que se reserva aquella información que pudiera explicarnos las motivaciones de la actuación de los personajes o que se inhibe de darnos un universo cerrado de acontecimientos perfectamente conectados. Ahí están las palabras, escuetas, ambiguas, solas…

El título, en forma de una contundente sentencia, funciona como un presagio. Al parecer, más allá del hemisferio en el que se habite y del clima que corresponda, abril tiene en todos los lugares unas connotaciones que le han reservado un papel destacado en la literatura, o al menos, en la canción popular: desde el cubano Silvio Rodríguez o el argentino Fito Páez hasta los españoles Joan Manuel Serrat o Joaquín Sabina, por citar algunos nombres. También en esto, habrá de ser el lector quien ahonde en el misterio.

AUDIO 2
ABRIL ES EL MES MÁS CRUEL

Locución: Georbis Martínez
Acento: Cubano
Duración: 09’29”

Abril es el mes más cruel
Guillermo Cabrera Infante

No supo si lo despertó la claridad que entraba por la ventana o el calor, o ambas cosas. O todavía el ruido que hacía ella en la cocina preparando el desayuno. La oyó freír huevos primero y luego le llegó el olor de la manteca hirviente. Se estiró en la cama y sintió la tibieza[1] de las sábanas escurrirse[2] bajo su cuerpo y un amable dolor le corrió de la espalda a la nuca. En ese momento ella entró en el cuarto y le chocó verla con el delantal[3] por encima de los *shorts*. La lámpara que estaba en la mesita de noche ya no estaba allí y puso los platos y las tazas en ella. Entonces advirtió que estaba despierto.

—¿Qué dice el dormilón? — preguntó ella, bromeando.

En un bostezo él dijo:

—Buenos días.

—¿Cómo te sientes?

Iba a decir muy bien, luego pensó que no era exactamente muy bien y reconsideró y dijo:

—Admirablemente.

No mentía. Nunca se había sentido mejor. Pero se dio cuenta de que las palabras siempre traicionan.

—¡Vaya! —dijo ella.

1 tibieza: cualidad de estar entre frío y caliente **2 escurrirse:** deslizarse, resbalar
3 delantal: pieza de tela que se ata a la cintura para cubrir la ropa y no mancharse

Desayunaron. Cuando ella terminó de fregar la loza[4], vino al cuarto y le propuso que se fueran a bañar.

—Hace un día precioso —dijo.

—Lo he visto por la ventana —dijo él.

—¿Visto?

—Bueno, sentido. Oído.

Se levantó y se lavó y se puso su trusa[5]. Encima se echó la bata de felpa[6] y salieron para la playa.

—Espera —dijo él a medio camino—. Me olvidé de la llave.

Ella sacó del bolsillo la llave y se la mostró. Él sonrió.

—¿Nunca se te olvida nada?

—Sí —dijo ella y lo besó en la boca—. Hoy se me había olvidado besarte. Es decir, despierto.

Sintió el aire del mar en las piernas y en la cara y aspiró hondo[7].

—Esto es vida —dijo.

Ella se había quitado las sandalias y enterraba los dedos en la arena al caminar. Lo miró y sonrió.

—¿Tú crees ? —dijo.

—¿Tú no crees? —preguntó él a su vez.

—Oh, sí. Sin duda. Nunca me he sentido mejor.

—Ni yo. Nunca en la vida —dijo él.

Se bañaron. Ella nadaba muy bien, con unas brazadas[8] largas, de profesional. Al rato él regresó a la playa y se tumbó

4 loza: (aquí) vajilla **5 trusa:** bañador **6 felpa:** tejido grueso y suave con el que se hacen las toallas **7 hondo:** profundo **8 brazada:** movimiento de los brazos al nadar

en la arena. Sintió que el sol secaba el agua y los cristales de sal se clavaban en sus poros y pudo precisar dónde se estaba quemando más, dónde se formaría una ampolla[9]. Le gustaba quemarse al sol. Estarse quieto, pegar la cara a la arena y sentir el aire que formaba y destruía las nimias[10] dunas y le metía los finos granitos en la nariz, en los ojos, en la boca, en los oídos. Parecía un remoto desierto, inmenso y misterioso y hostil. Dormitó.

Cuando despertó, ella se peinaba a su lado.

—¿Volvemos? —preguntó.

—Cuando quieras.

Ella preparó el almuerzo y comieron sin hablar. Se había quemado, leve, en un brazo y él caminó hacia la botica[11] que estaba a tres cuadras[12] y trajo picrato. Ahora estaban en el portal y hasta ellos llegó el fresco y a veces rudo aire del mar que se levanta por la tarde en abril.

La miró. Vio sus tobillos delicados y bien dibujados, sus rodillas tersas[13] y sus muslos torneados[14] sin violencia. Estaba tirada en la silla de extensión, relajada, y en sus labios, gruesos, había una tentativa de sonrisa.

—¿Cómo te sientes? —le preguntó.

Ella abrió sus ojos y los entrecerró ante la claridad. Sus pestañas eran largas y curvas.

—Muy bien. ¿Y tú?

9 ampolla: burbuja con líquido en la piel **10 nimio:** pequeño, sin importancia **11 botica:** farmacia **12 cuadra:** espacio entre dos esquinas de una calle, manzana **13 terso:** liso, suave, firme **14 torneado:** con buena forma, de suaves curvas

—Muy bien también. Pero, dime, ¿ya se ha ido todo?

—Sí —dijo ella.

—Y..., ¿no hay molestia?

—En absoluto. Te juro que nunca me he sentido mejor.

—Me alegro.

—¿Por qué?

—Porque me fastidiaría sentirme tan bien y que tú no te sintieras bien.

—Pero si me siento bien.

—Me alegro.

—De veras. Créeme, por favor.

—Te creo.

Se quedaron en silencio y luego ella habló:

—¿Damos un paseo por el acantilado[15]?

—¿Quieres?

—Cómo no. ¿Cuándo?

—Cuando tú digas.

—No, di tú.

—Bueno, dentro de una hora.

En una hora habían llegado a los farallones[16] y ella le preguntó, mirando a la playa, hacia el dibujo de espuma de las olas, hasta las cabañas:

—¿Qué altura crees tú que habrá de aquí a abajo?

—Unos cincuenta metros. Tal vez setenta y cinco.

15 acantilado: pared rocosa sobre el mar, precipicio **16 farallón:** roca alta que sobresale en el mar

—¿Cien no?

—No creo.

Ella se sentó en una roca, de perfil[17] al mar, con sus piernas recortadas contra el azul del mar y del cielo.

—¿Ya tú me retrataste así? —preguntó ella.

—Sí.

—Prométeme que no retratarás a otra mujer aquí así.

Él se molestó.

—¡Las cosas que se te ocurren! Estamos en luna de miel, ¿no? Cómo voy a pensar yo en otra mujer ahora.

—No digo ahora. Más tarde. Cuando te hayas cansado de mí, cuando nos hayamos divorciado.

Él la levantó y la besó en los labios, con fuerza.

—Eres boba.

Ella se abrazó a su pecho.

—¿No nos divorciaremos nunca?

—Nunca.

—¿Me querrás siempre?

—Siempre.

Se besaron. Casi en seguida oyeron que alguien llamaba.

—Es a ti.

—No sé quién pueda ser.

Vieron venir a un viejo por detrás de las cañas del espartillo[18].

17 de perfil: de lado **18 espartillo:** nombre genérico de numerosas hierbas

—Ah. Es el encargado.

Los saludó.

—¿Ustedes se van mañana?

—Sí, por la mañana temprano.

—Bueno, entonces quiero que me liquide ahora. ¿Puede ser?

Él la miró a ella.

—Ve tú con él. Yo quiero quedarme aquí otro rato más.

—¿Por qué no vienes tú también?

—No —dijo ella—. Quiero ver la puesta de sol.

—No quiero interrumpir. Pero es que quiero ver si voy a casa de mi hija a ver el programa de *boseo* en la televisión. *Usté* sabe, ella vive en la carretera.

—Ve con él —dijo ella.

—Está bien —dijo él, y echó a andar detrás del viejo.

—¿Tú sabes dónde está el dinero?

—Sí —respondió él, volviéndose.

—Ven a buscarme luego, ¿quieres?

—Está bien. Pero en cuanto oscurezca bajamos. Recuerda.

—Está bien —dijo—. Dame un beso antes de irte.

Lo hizo. Ella lo besó fuerte, con dolor.

Él la sintió tensa, afilada[19] por dentro. Antes de perderse tras la marea de espartillo la saludó con la mano. En el aire le llegó su voz que decía *te quiero.* ¿O tal vez preguntaba *me quieres*?

19 afilado: con filo, cortante

Estuvo mirando al sol cómo bajaba. Era un círculo lleno de fuego al que el horizonte convertía en tres cuartos de círculo, en medio círculo, en nada, aunque quedara un borboteo[20] rojo por donde desapareció. Luego el cielo se fue haciendo violeta, morado y el negro de la noche comenzó a borrar los restos del crepúsculo.

—¿Habrá luna esta noche? —se preguntó en alta voz ella.

Miró abajo y vio un hoyo negro y luego más abajo la costra[21] de la espuma blanca, visible todavía. Se movió en su asiento y dejó los pies hacia afuera, colgando en el vacío. Luego afincó[22] las manos en la roca y suspendió el cuerpo, y sin el menor ruido se dejó caer al pozo[23] negro y profundo que era la playa exactamente ochenta y dos metros más abajo.

FIN

«Abril es el mes más cruel», de Guillermo Cabrera Infante. Incluido en *Así en la paz como en la guerra*, 1960.

20 borboteo: burbujas de aire que se forman en el agua haciendo un ruido especial, como cuando el agua hierve **21 costra:** superficie exterior o corteza endurecida y seca **22 afincar:** (aquí) apoyar **23 pozo:** hoyo profundo, sima

GLOSARIO

ESPAÑOL	INGLÉS	FRANCÉS	ALEMÁN
1 tibieza	warmth	tiédeur	Lauheit
2 escurrirse	to slide	glisser	rutschen
3 delantal	apron	tablier	Schürze
4 loza	dishes	vaisselle	Geschirr
5 trusa	swim suit	caleçons	Badeanzug
6 felpa	plush	tissu de sortie de bain	Frotte
7 hondo	deep, profound	profond	tief
8 brazada	arm stroke	brasse	Armbewegung
9 ampolla	blister	cloque	Blase
10 nimio	small	insignifiant	klein
11 botica	pharmacy	pharmacie	Apotheke
12 cuadra	street, block	pâté de maisons	Häuserblock
13 terso	firm	lisse	straff
14 torneado	shapely	aux formes arrondies	gut geformt
15 acantilado	cliff	falaise	Klippe
16 farallón	rocky outcrop	stack	Klippe
17 de perfil	in profile	de profil	im Profil
18 espartillo	long grass	alfa, sparte	hohes Gras
19 afilado	sharp, prickly	affilé, coupant	scharf
20 borboteo	bubbling	bouillonnage	Blubbern im Wasser
21 costra	crust	croûte	Kruste
22 afincar	to place	placer, mettre	stützen
23 pozo	chasm, well	puits	Schacht

ACTIVIDADES

A. Elija la respuesta adecuada según el texto.

1. Los protagonistas están pasando su luna de miel junto al mar en
- **a.** una habitación de un hotel para recién casados.
- **b.** un apartamento alquilado.
- **c.** un establecimiento rural.

2. Él se preocupa por el estado de su mujer y le pregunta por
- **a.** sus tobillos delicados.
- **b.** su estado de ánimo.
- **c.** cómo está.

3. El encargado del alojamiento quiere liquidar la deuda ese mismo día porque
- **a.** no quiere dejarlo para mañana.
- **b.** quiere ir al pabellón deportivo a ver el boxeo.
- **c.** quiere ir a casa de su hija.

4. La esposa se lanzó al vacío
- **a.** cuando comenzó a anochecer.
- **b.** inmediatamente después de disfrutar del atardecer.
- **c.** cuando oyó a lo lejos la voz de su marido llamándola.

B. Complete las siguientes frases con las preposiciones adecuadas:

a (al), ante, con, contra, de, en, hacia, por

1. Espera —dijo él ...... medio camino—. Me olvidé ...... la llave.

2. Le gustaba quemarse ...... sol. Estarse quieto, pegar la cara ...... la arena y sentir el aire que formaba y destruía las nimias dunas y le metía los finos granitos ...... la nariz, ... los ojos, ... la boca, ... los oídos.

3. Se había quemado, leve, ... un brazo y él caminó ...... la botica que estaba ...... tres cuadras y trajo picrato.

4. Ella abrió sus ojos y los entrecerró ...... la claridad.

5. Se quedaron ...... silencio y luego ella habló: «¿Damos un paseo ...... el acantilado?»

6. Ella se sentó ...... una roca, ... perfil ...... mar, ... sus piernas recortadas ...... el azul del mar y del cielo.

C. Complete las palabras con las vocales que faltan y únalas con su definición.

1. t_ b_ _z _	**a.** Hondura formada naturalmente en la tierra o hecha por alguien.
2. t _ nt _t _ v _	**b.** Pagar completamente una cuenta.
3. r _ m _ t _ o	**c.** Estado intermedio entre el frío y el calor.
4. d _ l _ nt _ l	**d.** Claridad que hay al amanecer y al anochecer.
5. cr _ p _ sc _ l _	**e.** Acción con que se tantea, se prueba una cosa.
6. l _ q _ _ d _ r	**f.** Referido a lo que está distante en el espacio o en el tiempo.
7. h _ y _	**g.** Prenda que se ata a la cintura para cubrir la parte delantera del cuerpo.

D. Complete el siguiente fragmento del cuento con el verbo y el tiempo adecuados:

dejar, ver, afincar, dejarse, bajar, ser (2), suspender, comenzar, moverse, estar, irse, mirar, convertir

(1) .... mirando al sol cómo **(2)** .... **(3)** ...... un círculo lleno de fuego al que el horizonte **(4)** .... en tres cuartos de círculo, en medio círculo, en nada. Luego el cielo se **(5)** .... haciendo violeta, morado, y el negro de la noche **(6)** .... a borrar los restos del crepúsculo.

(7) .... abajo y **(8)** .... un hoyo negro y luego más abajo la costra de la espuma blanca, visible todavía. **(9)** Se .... en su asiento y **(10)** .... los pies hacia afuera, colgando en el vacío. Luego **(11)** .... las manos en la roca y **(12)** .... el cuerpo, y sin el menor ruido **(13)** se .... caer al pozo negro y profundo que **(14)** .... la playa exactamente ochenta y dos metros más abajo.

E. Detecte los dos errores que se encuentran en cada frase.

1. Iba para decir muy bien, luego pensó que no estaba exactamente muy bien y reconsideró y dijo: «Admirablemente».
2. La miró, vio a sus tobillos delicados y buen dibujados, sus rodillas tersas y sus muslos torneados sin violencia.
3. Ella abrió sus ojos y les entrecerró ante la claridad. Sus pestañas estaban largas y curvas.
4. En una hora hubieron llegado a los farallones y ella le preguntó: «¿Qué altura crees que habrá de aquí abajo?».
5. Él la sintió tensa, afilada en dentro. Antes de perderse tras la marea de espartillo la saludó a la mano.

F. *Abril* viene de la palabra *aprilis* y significa «lozanía, juventud, frescura, vigor». Teniendo esto en cuenta, ¿a qué cree que hace referencia el título? ¿Por qué el mes de abril es el más cruel?

G. En un momento del relato el joven marido le pregunta a su esposa que *cómo se siente* y que si *ya se ha ido todo.*
¿Qué cree que le está preguntando realmente? ¿A qué puede referirse?

H. ¿Cree que la mujer había planeado el suicidio? ¿Qué ha ocurrido para que ella se precipite al vacío? ¿Qué le puede llevar a acabar con su vida?

I. Debata con sus compañeros de clase sobre el suicidio. Intente buscar respuesta a las siguientes preguntas:
¿Qué es y cuáles son las causas?
¿Por qué puede querer una persona acabar con su vida?
¿Cómo se puede detectar la intención del suicida?
¿Qué hacer en estos casos?
¿Se debería asistir a las personas que quieren acabar con su existencia?

Para ello infórmese primero en alguna de las siguientes páginas:
www.cepvi.com/articulos/suicidio.shtml
www.monografias.com/trabajos53/suicidio/suicidio.shtml
www.who.int/features/qa/24/es/index.html

SOLUCIONES EN LA PÁGINA 125

RELATO 3

La Nochebuena de Encarnación Mendoza
Juan Bosch

EL AUTOR

JUAN BOSCH (Santo Domingo, 1909 – 2001)

Juan Bosch fue narrador, historiador, biógrafo, educador y el primer presidente de la República Dominicana elegido democráticamente (1963). Desde el exilio, formó la oposición contra el régimen dictatorial de Rafael Leónidas Trujillo durante más de 25 años y fundó el Partido Revolucionario Dominicano en 1939. Hoy es considerado uno de los escritores fundamentales de la literatura dominicana.

Su primera novela, *La mañosa* (1936), narrada por un niño enfermizo, tiene como personaje central una mula. Desde el exilio escribió para varias revistas y periódicos dominicanos. De entonces son relatos como *La mujer*, *Dos pesos de agua* y *El abuelo*. Aquellos cuentos fueron reunidos en dos volúmenes: *Cuentos escritos en el exilio* y *Más cuentos en el exilio* (1964). Aunque dejó de escribir relatos en los años sesenta, el profesor Bosch es reconocido como precursor del cuento dominicano y, sobre todo, de la narrativa social de su país.

PRESENTACIÓN
LA NOCHEBUENA DE ENCARNACIÓN MENDOZA

El escritor dominicano Juan Bosch nos sitúa en el paisaje y en la atmósfera del mundo rural caribeño. Las difíciles condiciones de subsistencia de los campesinos apenas son entrevistas en este relato, en el que el destino o el azar (si no es la misma cosa) interviene de manera decisiva.

En vísperas de Nochebuena, Encarnación Mendoza, fugitivo de la justicia durante meses, intenta llegar a su casa para pasar la fiesta navideña con su mujer e hijos. Atraviesa el paisaje tropical de la isla, entre cerros y cañaverales, tratando de hacerse invisible, pero el narrador nos hace saber muy pronto que su viaje no va a tener el mejor final. Toma «para su desgracia» el camino de los cañaverales y a partir de esa decisión equivocada «el destino va a empezar a jugar en su contra». En efecto, una serie de coincidencias desafortunadas, o de apreciaciones fallidas (quizá difíciles de sostener en términos ficcionales) decidirán su suerte. Y es que las casualidades o ciertos errores son más difíciles de aceptar en la ficción que en la realidad por la sencilla razón de que la realidad no ha de esforzarse en ser verosímil, le basta con ser.

Por otra parte, el texto, como algún otro de los que integran este volumen, muestra, a través de la anticipación o de la ocultación de la información, el poder del narrador en la composición narrativa. Basta no declarar el nombre del personaje cuando aparece por primera vez o que un fácil reconocimiento del mismo no se produzca para que se desarrolle un conflicto que, en el mejor de los casos, suscita una sorpresa final y, en el peor, ofrece un desenlace previsible, pues confirma las sospechas que se han ido despertando en el lector.

Desde el punto de vista estilístico, el relato nos ofrece dos registros claramente diferenciados: el lenguaje culto, elaborado, del narrador y el vulgar de la oralidad de los personajes, con acortamientos, supresiones, cambios fonéticos y referencias espaciales que dan viveza a la historia y sitúan al lector como espectador privilegiado de esta caza del hombre.

Para facilitar la identificación de esta forma de hablar de la gente del campo en la República Dominicana, hemos señalado en el texto estas expresiones en cursiva. Lo más habitual son los acortamientos de las palabras, como *ta* por ´está`, *lao* por ´lado` y *m'shijo* por ´mis hijos` y los alargamientos, como *emprésteme* por ´présteme`, *diba* por ´iba`, *asina* por ´así` y *vide* por ´vi`. Es también habitual la supresión de la *s* en el final de las palabras. Así tenemos *rodiemo, huérfano, do, número...* que deberían haber aparecido con una *s* final. Encontramos, además, alguna modificación en la pronunciación de las palabras, como *güérfano* por ´huérfano`. Finalmente, encontramos el caso de la palabra *coger* en la frase: «Y el cogió y se metió ahí». *Coger* aquí aparece como un apoyo conversacional que no tiene ningún significado, sino simplemente un valor enfático. Este uso es muy habitual también en el habla conversacional infantil de España.

AUDIO 3
LA NOCHEBUENA DE ENCARNACIÓN MENDOZA

Locución: Arlette Torres
Acento: Venezolano
Duración: 26'32"

La Nochebuena de Encarnación Mendoza
Juan Bosch

Con su sensible ojo de prófugo[1] Encarnación Mendoza había distinguido el perfil[2] de un árbol a veinte pasos, razón por la cual pensó que la noche iba a decaer. Anduvo acertado en su cálculo; donde empezó a equivocarse fue al sacar conclusiones de esa observación. Pues como el día se acercaba era de rigor[3] buscar escondite, y él se preguntaba si debía internarse en los cerros[4] que tenía a su derecha o en el cañaveral[5] que le quedaba a la izquierda. Para su desgracia, escogió el cañaveral. Hora y media más tarde el sol del día 24 alumbraba los campos y calentaba ligeramente a Encarnación Mendoza, que yacía[6] bocarriba tendido sobre hojas de caña.

A las siete de la mañana los hechos parecían estar sucediéndose tal como había pensado el fugitivo; nadie había pasado por las trochas[7] cercanas. Por otra parte la brisa era fresca y tal vez llovería, como casi todos los años en Nochebuena. Y aunque no lloviera los hombres no saldrían de la bodega[8], donde estarían desde temprano consumiendo ron, hablando a gritos y tratando de alegrarse como lo mandaba la costumbre. En cambio, de haber tirado hacia los cerros no podría sentirse tan seguro. Él conocía bien el lugar; las familias que vivían

1 **prófugo:** alguien huido de la justicia 2 **perfil:** (aquí) silueta, forma 3 **ser de rigor:** ser necesario 4 **cerro:** montaña pequeña 5 **cañaveral:** terreno donde crecen cañas
6 **yacer:** estar tumbado 7 **trocha:** camino abierto en la maleza (entre las plantas)
8 **bodega:** (aquí) cantina, lugar donde se venden bebidas y alimentos

en las hondonadas[9] producían leña[10], yuca y algún maíz. Si cualquiera de los hombres que habitaban los bohíos[11] de por allí bajaba aquel día para vender bastimentos[12] en la bodega del batey[13] y acertaba a verlo, estaba perdido. En leguas a la redonda no había quién se atreviera a silenciar el encuentro. Jamás sería perdonado el que encubriera[14] a Encarnación Mendoza; y aunque no se hablaba del asunto, todos los vecinos de la comarca sabían que aquel que le viera debía dar cuenta inmediata al puesto de guardia más cercano.

Empezaba a sentirse tranquilo Encarnación Mendoza, porque tenía la seguridad de que había escogido el mejor lugar para esconderse durante el día, cuando comenzó el destino a jugar en su contra.

Pues a esa hora la madre de Mundito pensaba igual que el prófugo: nadie pasaría por las trochas en la mañana, y si Mundito apuraba[15] el paso haría el viaje a la bodega antes de que comenzaran a transitar los caminos los habituales borrachos del día de Nochebuena. La madre de Mundito tenía unos cuantos centavos que había ido guardando de lo poco que cobraba lavando ropa y revendiendo gallinas en el cruce de la carretera, que le quedaba al poniente, a casi medio día de marcha. Con esos centavos podía mandar a Mundito a la bodega para que comprara harina, bacalao[16] y algo de manteca.

9 **hondonada:** terreno que está más bajo que el que lo rodea 10 **leña:** la madera que se usa para hacer fuego 11 **bohío:** cabaña 12 **bastimentos:** provisiones, alimentos 13 **batey:** (en el Caribe) lugar ocupado por casas u otras construcciones en el campo 14 **encubrir:** ocultar la verdad sobre alguien que ha actuado mal 15 **apurar:** darse prisa 16 **bacalao:** pez del Atlántico Norte que normalmente se vende seco y salado

Aunque lo hiciera pobremente, quería celebrar la Nochebuena con sus seis pequeños hijos, siquiera fuera comiendo frituras de bacalao.

El caserío donde ellos vivían —del lado de los cerros, en el camino que dividía los cañaverales de las tierras incultas[17]— tendría catorce o quince malas viviendas, la mayor parte techadas de yaguas[18]. Al salir de la suya, con el encargo de ir a la bodega, Mundito se detuvo un momento en medio del barro seco por donde en los días de zafra[19] transitaban las carretas cargadas de caña. Era largo el trayecto hasta la bodega. El cielo se veía claro, radiante de luz que se esparcía sobre el horizonte de cogollos[20] de caña; era grata la brisa y dulcemente triste el silencio. ¿Por qué ir solo, aburriéndose de caminar por trochas siempre iguales? Durante diez segundos Mundito pensó entrar al bohío vecino, donde seis semanas antes una perra negra había parido[21] seis cachorros. Los dueños del animal habían regalado cinco, pero quedaba uno, y en él había puesto Mundito todo el interés que la falta de ternura había acumulado en su pequeña alma. Con sus nueve años cargados de precoz sabiduría, el niño era consciente de que si llevaba al cachorrillo tendría que cargarlo casi todo el tiempo, porque no podría hacer tanta distancia por sí solo. Mundito sentía que esa idea casi le autorizaba a disponer del perrito.

17 tierra inculta: (aquí con su significado primitivo) terreno sin cultivar, sin producción agrícola **18 yagua:** variedad de palma con la que se hacen techos para las chozas **19 zafra:** cosecha de caña dulce **20 cogollo:** brote o parte en crecimiento de una planta o un árbol **21 parir:** acción de tener uno o varios hijos

De súbito[22], sin pensarlo más, corrió hacia la casucha gritando:

—¡Doña Ofelia, *empréstem*e a Azabache, que lo voy a llevar allí!

Oyéranle o no, ya él había pedido autorización, y eso bastaba. Entró como un torbellino[23], tomó el animalejo en brazos y salió corriendo, a toda marcha, hasta que se perdió a lo lejos. Y así empezó el destino a jugar en los planes de Encarnación Mendoza.

Porque ocurrió que cuando, poco antes de las nueve, el niño Mundito pasaba frente al tablón[24] de caña donde estaba escondido el fugitivo, cansado, o simplemente movido por esa especie de indiferencia por lo actual y curiosidad por lo inmediato que es privilegio de los animales pequeños, Azabache se metió en el cañaveral. Encarnación Mendoza oyó la voz del niño ordenando al perrito que se detuviera. Durante un segundo temió que el muchacho fuera la avanzada de algún grupo. Estaba clara la mañana. Con su agudo ojo de prófugo él podía ver hasta donde se lo permitía el barullo[25] de tallos[26] y hojas. Allí, al alcance de su mirada, estaba el niño. Encarnación Mendoza no tenía pelo de tonto. Rápidamente calculó que si lo hallaban atisbando[27] era hombre perdido; lo mejor sería hacerse el dormido, dando la espalda al lado por donde sentía el ruido. Para mayor seguridad, se cubrió la cara con el sombrero.

22 de súbito: de repente **23 como un torbellino:** rápidamente **24 tablón:** parcela o parte de terreno sembrado de caña **25 barullo:** desorden **26 tallo:** parte exterior de una planta de donde salen las hojas **27 atisbar:** ver confusamente

El negro cachorrillo correteó; jugando con las hojas de caña, pretendiendo saltar, torpe de movimientos, y cuando vio al fugitivo echado empezó a soltar diminutos y graciosos ladridos. Llamándolo a voces y gateando para avanzar, Mundito iba acercándose cuando de pronto quedó paralizado: había visto al hombre. Pero para él no era simplemente un hombre sino algo imponente y terrible; era un cadáver[28]. De otra manera no se explicaba su presencia allí y mucho menos su postura. El terror le dejó frío. En el primer momento pensó huir, y hacerlo en silencio para que el cadáver no se diera cuenta. Pero le parecía un crimen dejar a Azabache abandonado, expuesto al peligro de que el muerto se molestara con sus ladridos y lo reventara[29] apretándolo con las manos. Incapaz de irse sin el animalito e incapaz de quedarse allí, el niño sentía que desfallecía[30]. Sin intervención de su voluntad levantó una mano, fijó la mirada en el difunto[31], temblando mientras el perrillo reculaba[32] y lanzaba sus pequeños ladridos. Mundito estaba seguro de que el cadáver iba a levantarse de momento. En su miedo, pretendió adelantarse al muerto: pegó un saltó sobre el cachorrillo, al cual agarró con nerviosa violencia por el pescuezo[33], y a seguidas, cabeceando contra las cañas, cortándose el rostro y las manos, impulsado por el terror, ahogándose, echó a correr hacia la bodega. Al llegar allí, a punto de desfallecer por el esfuerzo y el pavor[34], gritó señalando hacia el lejano lugar de su aventura:

28 cadáver: cuerpo sin vida, un muerto **29 reventar:** aplastar con violencia
30 desfallecer: quedarse sin fuerzas **31 difunto:** persona que ha muerto **32 recular:** retroceder **33 pescuezo:** cuello **34 pavor:** mucho miedo

—¡En la Colonia Adela hay un hombre muerto!

A lo que un vozarrón áspero respondió gritando:

—¿Qué *tá* diciendo ese muchacho?

Y como era la voz del sargento Rey, jefe de puesto del Central, obtuvo el mayor interés de parte de los presentes así como los datos que solicitó del muchacho. El día de Nochebuena no podía contarse con el juez de La Romana para hacer el levantamiento del cadáver, pues debía andar por la capital disfrutando sus vacaciones de fin de año. Pero el sargento era expeditivo[35]; quince minutos después de haber oído a Mundito, el sargento Rey iba con dos números[36] y diez o doce curiosos hacia el sitio donde yacía el presunto cadáver. Eso no había entrado en los planes de Encarnación Mendoza.

El propósito de Encarnación Mendoza era pasar la Nochebuena con su mujer y sus hijos. Escondiéndose de día y caminando de noche había recorrido leguas y leguas, desde las primeras estribaciones[37] de la Cordillera, en la provincia del Seybo, rehuyendo todo encuentro y esquivando[38] bohíos, corrales y cortes de árboles o quemas de tierras. En toda la región se sabía que él había dado muerte al cabo Pomares, y nadie ignoraba que era hombre condenado donde se le encontrara. No debía dejarse ver de persona alguna, excepto de Nina y de sus hijos. Y los vería solo una hora o dos, durante la Nochebuena. Tenía ya seis meses huyendo, pues fue el día

35 expeditivo: que resuelve con rapidez y sin pensarlo mucho **36 número:** (aquí) soldado o policía **37 estribación:** extremo o comienzo de una serie de montañas **38 esquivar:** evitar

de San Juan cuando ocurrieron los hechos que le costaron la vida al cabo Pomares.

Necesariamente debía ver a su mujer y a sus hijos. Era un impulso bestial el que le empujaba a ir, una fuerza ciega a la cual no podía resistir. Con todo y ser tan limpio de sentimientos, Encarnación Mendoza comprendía que con el deseo de abrazar a su mujer y de contarles un cuento a los niños iba confundida una sombra de celos. Pero además necesitaba ver la casucha, la luz de la lámpara iluminando la habitación donde se reunían cuando él volvía del trabajo y los muchachos le rodeaban para que él los hiciera reír con sus ocurrencias. El cuerpo le pedía ver hasta el sucio camino, que se hacía lodazal[39] en los tiempos de lluvia. Tenía que ir o se moriría de una pena tremenda.

Encarnación Mendoza estaba acostumbrado a hacer lo que deseaba; nunca deseaba nada malo, y se respetaba a sí mismo. Por respeto a sí mismo sucedió lo del día de San Juan, cuando el cabo Pomares le faltó pegándole en la cara, a él, que por no ofender no bebía y que no tenía más afán que su familia. Sucediera lo que sucediera, y aunque el mismo diablo hiciera oposición, Encarnación Mendoza pasaría la Nochebuena en su bohío. Solo imaginar que Nina y los muchachos estarían tristes, sin un peso para celebrar la fiesta, tal vez llorando por él, le partía el alma y le hacía maldecir de dolor.

39 lodazal: lugar lleno de barro

Pero el plan se había enredado algo. Era cosa de ponerse a pensar si el muchacho hablaría o se quedaría callado. Se había ido corriendo, a lo que pudo colegir[40] Encarnación por la rapidez de los pasos, y tal vez pensó que se trataba de un peón[41] dormido. Acaso hubiera sido prudente alejarse de allí, meterse en otro tablón de caña. Sin embargo, valía la pena pensarlo dos veces, porque, si tenía la fatalidad de que alguien pasara por la trocha de ida o de vuelta, y le veía cruzando el camino y le reconocía, era hombre perdido. No debía precipitarse[42]; ahí, por de pronto, estaba seguro. A las nueve de la noche podría salir; caminar con cautela orillando[43] los cerros, y estaría en su casa a las once, tal vez a las once y un cuarto. Sabía lo que iba a hacer; llamaría por la ventana de la habitación en voz baja y le diría a Nina que abriera, que era él, su marido. Ya le parecía estar viendo a Nina con su negro pelo caído sobre las mejillas[44], los ojos oscuros y brillantes, la boca carnosa, la barbilla saliente. Ese momento de la llegada era la razón de ser de su vida; no podía arriesgarse a ser cogido antes. Cambiar de tablón en pleno día era correr riesgo. Lo mejor sería descansar, dormir...

Despertó al tropel de pasos y a la voz del niño que decía:

—*Taba* ahí, sargento.

—¿Pero en cuál tablón; en ese o en el de allá?

—En ese —aseguró el niño.

40 colegir: comprender, llegar a una conclusión **41 peón:** campesino que no es propietario de la tierra, jornalero **42 precipitarse:** (aquí) hacer algo rápidamente, antes de tiempo y sin pensar **43 orillar:** bordear, rodear **44 mejilla:** carrillo, la parte de la cara debajo de los ojos

«En ese» podía significar que el muchacho estaba señalando hacia el que ocupaba Encarnación, hacia uno vecino o hacia el de enfrente. Porque a juzgar por las voces el niño y el sargento se hallaban en la trocha, tal vez en un punto intermedio entre varios tablones de caña. Dependía de hacia dónde estaba señalando el niño cuando decía «ese». La situación era realmente grave, porque de lo que no había duda era de que ya había gente localizando al fugitivo. El momento, pues, no era de dudar, sino de actuar. Rápido en la decisión, Encarnación Mendoza comenzó a gatear[45] con suma cautela, cuidándose de que el ruido que pudiera hacer se confundiera con el de las hojas del cañaveral batidas[46] por la brisa. Había que salir de allí pronto, sin perder un minuto. Oyó la áspera voz del sargento:

—¡Métase por ahí, Nemesio, que yo voy por aquí! ¡*Usté*, Solito, quédese por aquí!

Se oían murmullos y comentarios. Mientras se alejaba, agachado, con paso felino, Encarnación podía colegir que había varios hombres en el grupo que le buscaba. Sin duda las cosas estaban poniéndose feas.

Feas para él y feas para el muchacho, quienquiera que fuese. Porque cuando el sargento Rey y el número Nemesio Arroyo recorrieron el tablón de caña en que se habían metido, maltratando los tallos más tiernos y cortándose las manos y los

45 gatear: caminar apoyando manos y rodillas en el suelo **46 batir:** (aquí) mover, mecer

brazos, y no vieron cadáver alguno, empezaron a creer que era broma lo del hombre muerto en la Colonia Adela.

—¿Tú *ta* seguro que fue aquí, muchacho? —preguntó el sargento.

—Sí, aquí era —afirmó Mundito, bastante asustado ya.

—Son cosas de muchacho, sargento; ahí no hay nadie —terció[47] el número Arroyo.

El sargento clavó en el niño una mirada fija, escalofriante[48], que lo llenó de pavor.

—Mire, yo venía por aquí con Azabache —empezó a explicar Mundito— y lo *diba* corriendo *asina* —lo cual dijo al tiempo que ponía el perrito en el suelo—, y él cogió y se metió ahí.

Pero el número Solito Ruiz interrumpió la escenificación de Mundito preguntando:

—¿Cómo era el muerto?

—Yo no le *vide* la cara —dijo el niño, temblando de miedo—; solamente le *vide* la ropa. Tenía un sombrero en la cara. *Taba asina*, de *lao*...

—¿De qué color era el pantalón? —inquirió el sargento.

—Azul, y la camisa como amarilla, y tenía un sombrero negro encima de la cara...

Pero el pobre Mundito apenas podía hablar; se hallaba aterrorizado, con ganas de llorar. A su infantil idea de las cosas, el muerto se había ido de allí solo para vengarse de su denuncia

47 terciar: (aquí) tomar parte en una conversación de otros **48 escalofriante:** que da miedo

y hacerlo quedar como un mentiroso. Seguramente en la noche le saldría en la casa y lo perseguiría toda la vida.

De todas maneras, supiéralo o no Mundito, en ese tablón de cañas no darían con el cadáver. Encarnación Mendoza había cruzado con sorprendente celeridad[49] hacia otro tablón, y después hacia otro más; y ya iba atravesando la trocha para meterse en un tercero cuando el niño, despachado[50] por el sargento, pasaba corriendo con el perrillo bajo el brazo. Su miedo lo paró en seco al ver el torso y una pierna del difunto que entraban en el cañaveral. No podía ser otro, dado que la ropa era la que había visto por la mañana.

—¡*Ta* aquí, sargento; *ta* aquí! —gritó señalando hacia el punto por donde se había perdido el fugitivo—. ¡*Dentró* ahí!

Y como tenía mucho miedo siguió su carrera hacia su casa, ahogándose, lleno de lástima consigo mismo por el lío en que se había metido. El sargento, y con él los soldados y curiosos que le acompañaban, se habían vuelto al oír la voz del chiquillo.

—Cosa de muchacho —dijo calmosamente Nemesio Arroyo.

Pero el sargento, viejo en su oficio, era suspicaz[51]:

—Vea, algo hay. ¡*Rodiemo* ese tablón *di* una *ve*! —gritó.

Y así empezó la cacería, sin que los cazadores supieran qué pieza perseguían.

Era poco más de media mañana. Repartidos en grupos, cada militar iba seguido de tres o cuatro peones, buscando

49 celeridad: rapidez **50 despachar:** (aquí) despedir, alejar o apartar a alguien
51 suspicaz: que tiene sospechas

aquí y allá, corriendo por las trochas, todos un poco bebidos y todos excitados. Lentamente, las pequeñas nubes azul oscuro que descansaban al ras del horizonte empezaron a crecer y a ascender cielo arriba. Encarnación Mendoza sabía ya que estaba más o menos cercado[52]. Solo que a diferencia de sus perseguidores —que ignoraban a quién buscaban—, él pensaba que el registro del cañaveral obedecía al propósito de echarle mano y cobrarle lo ocurrido el día de San Juan.

Sin saber a ciencia cierta dónde estaban los soldados, el fugitivo se atenía[53] a su instinto y a su voluntad de escapar; y se corría de un tablón a otro, esquivando el encuentro con los soldados. Estaba ya a tanta distancia de ellos que si se hubiera quedado tranquilo hubiese podido esperar hasta el oscurecer sin peligro de ser localizado. Pero no se hallaba seguro y seguía pasando de tablón a tablón. Al cruzar una trocha fue visto de lejos, y una voz proclamó a todo pulmón:

—¡Allá va, sargento, allá va; y se parece a Encarnación Mendoza!

¡Encarnación Mendoza! De golpe todo el mundo quedó paralizado. ¡Encarnación Mendoza!

—¡Vengan! —demandó el sargento a gritos; y a seguidas echó a correr, el revólver en la mano, hacia donde señalaba el peón que había visto al prófugo.

52 cercado: rodeado **53 atenerse:** ajustarse a una idea o convicción, seguir instrucciones precisas

Era ya cerca de mediodía, y aunque los crecientes nubarrones convertían en sofocante y caluroso el ambiente, los cazadores del hombre apenas lo notaban; corrían y corrían, pegando voces, zigzagueando, disparando sobre las cañas. Encarnación se dejó ver sobre una trocha distante, solo un momento, huyendo con la velocidad de una sombra fugaz[54], y no dio tiempo al número Solito Ruiz para apuntarle su fusil.

—¡Que vaya uno al batey y diga de mi parte que me manden *do número*! —ordenó a gritos el sargento.

Nerviosos, excitados, respirando sonoramente y tratando de mirar hacia todos los ángulos a un tiempo, los perseguidores corrían de un lado a otro dándose voces entre sí, recomendándose prudencia cuando alguno amagaba[55] meterse entre las cañas.

Pasó el mediodía. Llegaron no dos, sino tres números y como nueve o diez peones más; se dispersaron en grupos y la cacería se extendió a varios tablones. A la distancia se veían pasar de pronto un soldado y cuatro o cinco peones, lo cual entorpecía los movimientos, pues era arriesgado tirar si gente amiga estaba al otro extremo. Del batey iban saliendo hombres y hasta alguna mujer; y en la bodega no quedó sino el dependiente, preguntando a todo hijo de Dios que cruzaba si «ya lo habían cogido».

54 fugaz: muy breve **55 amagar:** mostrar intención de hacer algo

Encarnación Mendoza no era hombre fácil. Pero a eso de las tres, en el camino que dividía el cañaveral de los cerros, esto es, a más de dos horas del batey, un tiro certero le rompió la columna vertebral[56] al tiempo que cruzaba para internarse en la maleza. Se revolcaba en la tierra, manando[57] sangre, cuando recibió catorce tiros más, pues los soldados iban disparándole a medida que se acercaban. Y justamente entonces empezaban a caer las primeras gotas de la lluvia que había comenzado a insinuarse a media mañana.

Estaba muerto Encarnación Mendoza. Conservaba las líneas del rostro, aunque tenía los dientes destrozados por un balazo[58] de máuser. Era día de Nochebuena y él había salido de la Cordillera a pasar la Nochebuena en su casa, no en el batey, vivo o muerto. Comenzaba a llover, y el sargento estaba pensando algo. Si él sacaba el cadáver a la carretera, que estaba hacia el poniente, podía llevarlo ese mismo día a Macorís y entregarle ese regalo de Pascuas al capitán; si lo llevaba al batey, tendría que coger allí un tren del ingenio para ir a La Romana, y como el tren podría tardar mucho en salir, llegaría a la ciudad tarde en la noche, tal vez demasiado tarde para trasladarse a Macorís. En la carretera las cosas son distintas; pasan con frecuencia vehículos, y él podría detener un automóvil, hacer bajar a la gente y meter el cadáver o subirlo sobre la carga de un camión.

56 columna vertebral: conjunto de huesos (vértebras) que recorren la espalda desde la cabeza hasta la pelvis **57 manar:** salir, brotar un líquido **58 balazo:** herida por disparo

—¡Búsquese un caballo *ya memo que vamo* a sacar a ese vagabundo[59] a la carretera —dijo dirigiéndose al que tenía más cerca.

No apareció caballo sino burro; y eso, pasadas ya las cuatro, cuando el aguacero[60] pesado hacía sonar sin descanso los sembrados[61] de caña. El sargento no quería perder tiempo. Varios peones, estorbándose[62] los unos a los otros, colocaron el cadáver atravesado sobre el asno[63] y lo amarraron[64] como pudieron. Seguido por dos soldados y tres curiosos a los que escogió para que arrearan[65] el burro, el sargento ordenó la marcha bajo la lluvia.

No resultó fácil el camino. Tres veces, antes de llegar al primer caserío, el muerto resbaló[66] y quedó colgado bajo el vientre[67] del asno. Este resoplaba y hacía esfuerzos para trotar entre el barro, que ya empezaba a formarse. Cubiertos solo con sus sombreros de reglamento al principio, los soldados echaron mano a pedazos de yaguas, a hojas grandes arrancadas a los árboles, o se guarecían en el cañaveral de rato en rato, cuando la lluvia arreciaba[68] más. La lúgubre[69] comitiva anduvo sin cesar la mayor parte del tiempo, en silencio; la voz de un soldado comentaba:

—Vea ese sinvergüenza.

59 vagabundo: persona que camina sin rumbo **60 aguacero:** lluvia fuerte y de poca duración **61 sembrado:** terreno cultivado **62 estorbar:** molestar **63 asno:** burro **64 amarrar:** atar, sujetar con cuerdas **65 arrear:** estimular a las bestias para que echen a andar o para que vayan más rápido **66 resbalar:** deslizar **67 vientre:** abdomen, tripa **68 arreciar:** (referido a la lluvia) hacerse más fuerte **69 lúgubre:** sombrío, triste, fúnebre

O simplemente aludía al cabo Pomares, cuya sangre había sido al fin vengada.

Oscureció del todo, sin duda más temprano que de costumbre por efectos de la lluvia; y con la oscuridad el camino se hizo más difícil, razón por la cual la marcha se tornó lenta. Serían más de las siete, y apenas llovía entonces, cuando uno de los peones dijo:

—Allá se ve una lucecita.

—Sí, del caserío —explicó el sargento; y al instante urdió[70] un plan del que se sintió enormemente satisfecho. Pues al sargento no le bastaba la muerte de Encarnación Mendoza. El sargento quería algo más. Así, cuando un cuarto de hora después se vio frente a la primera casucha del lugar, ordenó con su áspera voz:

—Desamarren ese muerto y tírenlo ahí adentro, que no *podemo* seguir *mojándono.*

Decía esto cuando la lluvia era tan escasa que parecía a punto de cesar; y al hablar observaba a los hombres que se afanaban[71] en la tarea de librar el cadáver de cuerdas. Cuando el cuerpo estuvo suelto llamó a la puerta de la casucha justo a tiempo para que la mujer que salió a abrir recibiera sobre los pies, tirado como el de un perro, el cuerpo de Encarnación Mendoza. El muerto estaba empapado en agua, sangre y lodo, y tenía los dientes destrozados por un tiro, lo que le daba a su

70 urdir: tramar o planear con mala intención **71 afanarse:** (aquí) darse prisa en hacer bien algo

rostro, antes sereno y bondadoso, la apariencia de estar haciendo una mueca[72] horrible.

La mujer miró aquella masa inerte; sus ojos cobraron de golpe la inexpresiva fijeza de la locura; y llevándose una mano a la boca comenzó a retroceder lentamente, hasta que a tres pasos paró y corrió desolada sobre el cadáver al tiempo que gritaba:

—¡Ay *m's hijo, se han quedao güérfano... han matao* a Encarnación!

Espantados, atropellándose[73], los niños salieron de la habitación, lanzándose a las faldas de la madre.

Entonces se oyó una voz infantil en la que se confundían llanto y horror:

—¡Mamá, mi mamá!... ¡Ese fue el muerto que yo *vide* hoy en el cañaveral!

FIN

«La Nochebuena de Encarnación Mendoza», de Juan Bosch. Incluido en *Cuentos escritos en el exilio*, 1962.

72 mueca: expresión de la cara, generalmente de burla **73 atropellar:** empujar o derribar a alguien violentamente para abrirse paso

GLOSARIO

ESPAÑOL	INGLÉS	FRANCÉS	ALEMÁN
1 prófugo	fugitive	fugitif	flüchtige Person
2 perfil	silhouette	contours	Silhouette
3 ser de rigor	to be necessary	être de rigueur	notwendig sein
4 cerro	hill	colline	Hügel
5 cañaveral	reed or cane field	cannaie	Ried- oder Schilfrohrfeld
6 yacer	to lie	gésir	liegen
7 trocha	path	sentier	Pfad
8 bodega	tavern	cave	Weinkeller
9 hondonada	hollow	creux	Talmulde
10 leña	firewood	bois	Brennholz
11 bohío	reed hut	hutte	Strohhütte
12 bastimentos	provisions	provisions	Proviant
13 batey	camp	batey, camp	Camp oder Ortschaft
14 encubrir	to protect, conceal	cacher	decken, schützen
15 apurar	to hurry	se dépêcher	beschleunigen
16 bacalao	cod	morue	Kabeljau
17 tierra inculta	uncultivated fields	terre incultivée	unbewirtschaftetes Land
18 yagua	palm tree	yagua, palmier	Palme
19 zafra	sugarcane harvest	récolte de la canne à sucre	Zuckerrohrernte
20 cogollo	bud, shoot	bourgeon, coeur	Knospe, Spross
21 parir	to give birth	mettre bas	gebären
22 de súbito	suddenly	soudain	plötzlich

ESPAÑOL	INGLÉS	FRANCÉS	ALEMÁN
23 como un torbellino	quickly, like a whirlwind	comme un tourbillon	wie ein Wirbelwind
24 tablón	cane field	cannaie	Zuckerrohrfeld
25 barullo	disorder	pagaille	Getümmel, Wirbel
26 tallo	stem	tige	Halm
27 atisbar	to glimpse	percevoir	erspähen
28 cadáver	dead body	cadavre	Leiche
29 reventar	to squeeze violently	craquer	brutal würgen
30 desfallecer	to faint, weaken	défaillir	schwach werden
31 difunto	dead person	défunt	Verstorbener
32 recular	to back up	reculer	zurückweichen
33 pescuezo	neck	cou	Nacken
34 pavor	fear, terror	frayeur	Angst, Furcht
35 expeditivo	expediente, efficient	expéditif	rasch, schnell
36 número	soldier, policeman	gendarme	Soldat, Polizist
37 estribación	foothills	contrefort	Ausläufer
38 esquivar	to avoid	esquiver	vermeiden
39 lodazal	mudflat	bourbier	Schlammloch
40 colegir	to deduce	déduire	zum Schluss kommen
41 peón	farm worker	ouvrier agricole	Feldarbeiter
42 precipitarse	to hasten, rush into	se précipiter	voreilig handeln
43 orillar	to skirt, go around	border	umgehen
44 mejilla	cheek	joue	Wange
45 gatear	to crawl	marcher à 4 pattes	krabbeln
46 batir	to beat, shake	battre	schlagen
47 terciar	to interject	intervenir	eingreifen

ESPAÑOL	INGLÉS	FRANCÉS	ALEMÁN
48 escalofriante	frightening	d'horreur	Schauder
49 celeridad	speed	hàte	Geschwindigkeit
50 despachar	to dismiss	servir	hinter sich lassen
51 suspicaz	to be suspicious	suspicieux	argwöhnisch
52 cercado	surrounded	encerclé	umgeben
53 atenerse	to stick to, stand by	s'en tenir à	sich an etwas halten
54 fugaz	fleeting	fugace	flüchtig
55 amagar	to seem about to	feindre une attaque	vorhaben, etwas zu tun
56 columna vertebral	backbone	colonne vertébrale	Wirbelsäule
57 manar	to flow	couler	fließen
58 balazo	shot	coup de feu	Schuss
59 vagabundo	vagabond	vagabond	Landstreicher
60 aguacero	downpour	averse	Wolkenbruch
61 sembrado	cultivated field	champ cultivé	Saatfeld
62 estorbar	to annoy, interfere	déranger	behindern
63 asno	donkey	âne	Esel
64 amarrar	to secure, tie down	amarrer	festbinden
65 arrear	to drive, urge	stimuler	antreiben
66 resbalar	to slip	glisser	rutschen
67 vientre	belly	ventre	Bauch
68 arreciar	to intensify	tomber dru (la pluie)	stärker werden
69 lúgubre	gloomy	lugubre	finster
70 urdir	to devise, hatch	ourdir	aushecken
71 afanarse	to make an effort to	s'affairer	sich abmühen
72 mueca	grimace	grimace	Fratze, Grimasse
73 atropellar	to push and shove	bousculer	sich überstürzen

ACTIVIDADES

A. Indique si las siguientes afirmaciones son verdaderas (V) o falsas (F). Explique la razón en el caso de ser afirmaciones falsas.

1. Encarnación Mendoza decidió esconderse entre el cañaveral al estar convencido de que el sol de la mañana le aportaría algo de cobijo. **V / F**
2. El texto afirma que nadie debía ocultar el paradero de Encarnación Mendoza ya que, de lo contrario, sería castigado. **V / F**
3. El niño se dirigió a la bodega convencido de que esa noche cenaría toda la familia frituras de bacalao. **V / F**
4. El niño no tenía permiso para irse a pasear con el perro de los vecinos, sin embargo, nadie se atrevió a decir nada cuando se lo llevó. **V / F**
5. Los ladridos del perro delataron al fugitivo. **V / F**
6. El prófugo, en su afán por estar con su familia la noche de Nochebuena, no dudó en matar al cabo Pomares. **V / F**
7. El sargento, enfadado por no encontrar al fugitivo, amenazó a Mundito con castigarlo si no le describía exactamente al sujeto. **V / F**
8. El sargento desconocía que el sujeto fuera Encarnación Mendoza. **V / F**
9. Encarnación Mendoza fue abatido por multitud de disparos justo a la puerta de su caserío. **V / F**
10. El niño, llorando, confesó a su madre que no había reconocido a su padre. **V / F**

B. Relacione algunas de estas palabras con su significado en el texto.

fugitivo, escondite, internarse, legua, comarca, cachorro, precoz, disponer, avanzada, trepar, ahogarse, desfallecer, casucha, afán, enredarse, fatalidad, cautela, tropel, murmullos, felino, tiro, trotar, guarecerse, empapado, inerte

1. Medida itineraria, variable según los países o regiones, definida por el camino que regularmente se anda en una hora. (.........................)
2. Inmóvil, paralizado. (.........................)
3. Refugiarse en alguna parte para librarse de un daño o peligro, o de las inclemencias del tiempo. (.........................)
4. Que anda huyendo o escondiéndose. (.........................)
5. En una corta edad muestra cualidades morales o físicas que, de ordinario, son más tardías. (.........................)
6. Humedecido de modo que quede enteramente penetrado de un líquido. (.........................)
7. Precaución y reserva con que se procede. (.........................)
8. Deliberar, determinar, mandar lo que ha de hacerse. (.........................)
9. Subir como los gatos, y especialmente subir por un tronco valiéndose de los brazos y piernas. (.........................)
10. Desmayarse, decaer perdiendo el aliento y las fuerzas. (.........................)

Y ahora complete las siguientes frases con alguna de las palabras restantes, haciendo los cambios necesarios:

11. Encarnación Mendoza era un hombre bueno que no tenía más .... que su familia.

12. Al escucharse .... y comentarios, pudo percibir claramente que le estaban rodeando.

13. Encarnación Mendoza necesitaba urgentemente un .... para refugiarse durante las horas de luz.

14. El asno que cargaba el cuerpo de Encarnación resoplaba esforzándose por .... entre el barro.

15. A Mundito le bastaba una pequeña autorización para llevarse al ....

16. Los planes del fugitivo acabaron por .... al ser descubierto por el niño.

C. Elija el modo y el tiempo verbal adecuado en cada una de las frases.

1. Jamás se *podría / podía* perdonar a quien no *diría / dijera* dónde *estaba / estuvo* Encarnación Mendoza.

2. Mundito *vivió / vivía* en un caserío que *tuvo / tenía* catorce o quince malas viviendas, la mayor parte *estuvieron / estaban* techadas de yaguas.

3. Encarnación Mendoza *oyó / oye* la voz del niño que *estaba / estuvo* ordenando al perro que *se detenga / se detuviera.*

4. La cacería *empezó / empezaba* sin que se *sabía / supiera* quién *era / fue* el perseguido.
5. El sargento *ordenaba / ordenó* que alguien *vaya / fuera* al batey y *dijo / dijera* de su parte que le *envíen / enviaran* refuerzos.
6. Le *dispararon / disparaban* en la columna vertebral cuando *intentó / intentaba* internarse en la maleza.

D. Construya algunas de las unidades léxicas complejas que aparecen en el texto, relacionando elementos de estas columnas. No todas las expresiones necesitan preposición.

1. sacar		cuenta de algo
2. yacer		correr
3. dar		la vida
4. jugar		conclusiones
5. apurar		pelo de tonto
6. no tener	**en**	bocarriba
7. hacerse	**a**	un lío
8. echar		pena
9. costar	**de**	el alma
10. morirse		su contra
11. partir		el dormido
12. valer		el paso
13. meterse		la pena

Y ahora complete las siguientes frases con la expresión adecuada, haciendo los cambios necesarios:

14. Aunque Encarnación Mendoza estaba convencido de que había escogido el mejor escondite, al llegar el día el destino empezó a ....

15. El fugitivo, al ver al niño, se dió cuenta rápidamente de que tenía que hacerse el dormido si quería salvarse. Estaba claro que ....

16. La imagen de la tristeza de su mujer y sus hijos, sin poder compartir la noche de Nochebuena, tal vez llorando por él, le ....

17. El niño, muerto de miedo, corrió a casa sabiendo que .... al delatar al fugitivo.

E. El relato cuenta una historia que se desarrolla el día de Nochebuena. ¿Podríamos considerar que este es un cuento de Navidad? Recuerde algunos de los cuentos más famosos y busque una relación, si existe, con este cuento.

F. ¿Por qué mató Encarnación Mendoza al cabo Pomares? Reconstruya la situación, el momento, el entorno y el posible diálogo entre ellos.

SOLUCIONES EN LA PÁGINA 125

RELATO 4

En automóvil

Rubén Martínez Villena

EL AUTOR
RUBÉN MARTÍNEZ VILLENA (Cuba, 1899 – 1934)

Rubén Martínez Villena fue revolucionario y escritor. Su entrega política como figura más destacada de la Protesta de los Trece, un grupo de intelectuales de corte progresista, ha ensombrecido a lo largo de los años su labor literaria.

Sus primeras colaboraciones periódicas comienzan en 1917, en la revista cubana *Evolución*. Fue autor de la mayoría de los manifiestos y documentos que surgieron del Grupo Minorista, un colectivo de jóvenes escritores, pensadores y artistas que capitalizó la vida cultural cubana durante los años veinte. Dirigió huelgas e ingresó en el Partido Comunista, desde donde luchó contra el presidente cubano Gerardo Machado hasta su muerte.

Fue, sobre todo, un intelectual: poeta, narrador, crítico y cronista. Sus obras fueron recogidas en 1940 bajo el título *Un nombre*. En 1964, la Unión de Escritores y Artistas de Cuba publicó *Órbita* de Rubén Martínez Villena. Aunque fue breve su vida y su obra, este intelectual del pensamiento marxista dejó un brillante legado para la literatura cubana de principios del siglo XX.

PRESENTACIÓN
EN AUTOMÓVIL

El texto de Rubén Martínez Villena apareció publicado en 1922 y tiene como verdadero protagonista a uno de los símbolos de la modernidad en el siglo xx, el automóvil. Aquí hallamos ecos de los llamados movimientos de vanguardia que, como el futurismo, rindieron culto a la velocidad y a las formas de una tecnología naciente que iba transformando el ritmo de la existencia. Para potenciar al máximo esta idea se nos presenta a un personaje, Arturo Vanderbaecker, que personifica la exuberancia, en lo físico y en lo anímico, pues está dotado de una curiosidad insaciable y de medios económicos para gozar con intensidad de cualquier experiencia que la vida le presente. Este ser portentoso, de grandeza épica, vino a convertirse llegado el tiempo en conductor (en *driver*, según se dice en el texto con ese anglicismo local) «y se entregó a las delicias vertiginosas del automovilismo». Tiene un amigo farmacéutico, relator del episodio central del cuento, que resulta a todos los efectos su antagonista, alguien sumamente tranquilo, metódico y asustadizo. Quizá, por ello, uno de los fragmentos más deliciosos es la descripción de sus sensaciones cuando monta por primera vez, y a su pesar, en la máquina diabólica.

En el cuento encontramos el viejo procedimiento del relato dentro del relato: Un narrador en primera persona, suponemos que escritor, cuenta una historia referida por un segundo personaje (el farmacéutico) a través de una carta sobre un tercero (Arturo Vanderbaecker). El procedimiento busca dotar al relato de verosimilitud y de un falso tono realista. Esto carga de efecto el giro a lo fantástico que va a tomar el texto en cierto momento. Se produce, por decirlo así, un desplazamiento argumental, y a partir de ahí, con notable tensión narrativa, no sabremos si el hombre se funde con la máquina o si esta absorbe su voluntad provocando una transferencia de emociones. Descubriremos entonces que son otros los verdaderos protagonistas del conflicto pasional, otros los que se buscan, otros los que se aman, otros los que, atrapados por esa pasión, tratan de vivirla fundiéndose en una destrucción muy semejante a la muerte humana.

Si al final el texto nos deja un pequeño enigma por aclarar, el primer narrador recuperará su voz para recordarnos que, al fin y al cabo, esto es literatura y, como tal, fruto siempre del artificio, un artificio con el que el escritor puede crear las más sorprendentes y novedosas historias de amor y, como sucede aquí, intentar contarlas con la *velocidad*, esto es, con el ritmo que la acción requiere hasta lograr una adecuación casi perfecta entre contenido y forma.

AUDIO 4
EN AUTOMÓVIL

Locución: Georbis Martínez
Acento: Cubano
Duración: 26’13”

En automóvil

Rubén Martínez Villena

Tengo un amigo farmacéutico en un pueblo próximo a La Habana; a pesar de esto, la pasividad de su vida y el vértigo[1] de la mía nos impiden visitarnos y, aunque de tarde en tarde nos escribimos, son casi siempre cartas que necesitan franqueo[2] extraordinario.

Por mediación suya conocí a Arturo Vanderbaecker, el hombre cuyo recuerdo me hace escribir estas líneas.

Aunque le traté muy poco, como supe su historia por boca de mi amigo, que le consideraba un semidiós de Valhala, puedo afirmar que jamás conocí un tipo de más exuberante vitalidad victoriosa.

Nació accidentalmente en Egersund, de padre noruego y madre cubana, línea paterna dinamarquesa y ascendencia materna española; y esta mezcla de razas de características opuestas había cristalizado en él un admirable ejemplar de humanidad. Alto, fuerte, blanco, con el rostro curtido[3] por todos los climas de la tierra, era él un producto equilibrado de sus padres: el cabello rubio como una llamarada y los ojos negros y hermosísimos; dulce, pero decidido; con una perseverancia y una tenacidad sajonas, puestas al servicio de una fantasía tropical, rápida

1 vértigo: sensación de mareo producida por la velocidad o la altura **2 franqueo:** sellos de correos **3 curtido:** endurecido, oscurecido por el sol

y audaz; su fuerza hercúlea se podía apreciar bajo su traje; y cierta vez que lo vi en un alarde[4] de potencia gigantesca, tuve la impresión de que aquel hombre podía, con una flexión de sus brazos —como el azar[5] lo había hecho en él mismo—, doblar y unir en un punto el círculo polar ártico y la línea ecuatorial.

Huérfano, dueño único de gran fortuna, de inquieto espíritu viajador, se lanzó joven a recorrer el mundo en todas direcciones. Pero no fue el turista plácido ni el viajero curioso; vivió en casi todos los sitios a que llegaba, recreándose[6] en la adaptación continua y minuciosa[7]; vistiendo como los naturales, haciendo lo que ellos; trabajando en labores rudas para gastar su exceso de energía siempre insatisfecha. Fue el derrochador de vida.

Vivió en París como un príncipe, por su lujo, pero como un parisién, por sus costumbres; un parisién rico y alegre, amante del *champagne*; entró en traje de explorador al laberinto de las selvas africanas, y allí robó, con un disparo inverosímil[8], un león al que apuntaba también un hombre fornido[9], brusco y simpático, que después supo era presidente de una república muy grande; este detalle le hizo variar de rumbo[10], y dejando para más tarde su proyectado viaje al Polo Austral, corrió hacia aquel continente desconocido y maravilloso donde había gobernantes que eran cazadores de fieras; se encontró en América como en su elemento: atravesó los Andes varias veces

4 alarde: ostentación y exhibición al hacer algo **5 azar:** casualidad **6 recrearse:** deleitarse, divertirse **7 minucioso:** cuidadoso, meticuloso **8 inverosímil:** difícil de creer **9 fornido:** fuerte, robusto **10 rumbo:** dirección, ruta

entre tormentas de nieve; corrió sobre la pampa[11] vestido de gaucho[12]; aprendió el manejo del lazo y de «las bolas[13]», gozó de la cordillera[14] volcánica y casi inaccesible en un desborde pródigo[15] de todas sus fuerzas; y ya cansado fue a caer en los Estados Unidos, donde hizo vida de ciudad y de estudiante, adquiriendo un título de ingeniero. Había recorrido medio mundo en quince años y dominaba ocho idiomas. Por último, se hizo *driver* y se entregó plenamente a las delicias vertiginosas del automovilismo.

Fue entonces cuando vino a Cuba, para estudiar el mercado, con objeto de establecer una agencia de cierto norteamericano fabricante de automóviles. Pero su afán de conocer las costumbres de cada país fuera de la adulteración ciudadana de ellas, le llevó al campo repetidas veces; y en una de sus cortas incursiones, corriendo, como un criollo, en una carrera de cintas, cayó enredado[16] con el caballo y se fracturó el brazo derecho, precisamente a la puerta del establecimiento que tiene mi amigo el farmacéutico en un pueblecito próximo a La Habana.

Este le hizo la primera cura con rara habilidad. Ese día nació la amistad entre ellos, amistad que nunca he podido precisar en lo que se fundaba; porque pocas veces se han hallado dos caracteres más diametralmente opuestos que los de aquella pareja de amigos. (Creo mucho, desde entonces, que en la buena

11 pampa: extensa llanura de Argentina **12 gaucho:** vaquero de la pampa **13 las bolas:** lazos de cuero con bolas de piedra en los extremos que llevan los gauchos para coger a los animales tirándolas a sus patas **14 cordillera:** serie de montañas **15 pródigo:** que da mucho de manera exagerada **16 enredado:** unido de manera desordenada

amistad, como en los matrimonios felices, los interesados son cantidades complementarias).

Y hete aquí[17], al fin explicado, cómo aquel farmacéutico, que no se había ausentado de su pueblo más que una o dos veces por año para ir a recoger sus notas bien ganadas en la Universidad, que no se movía ya más que en el trecho comprendido entre su mostrador[18] y sus morteros, balanzas[19] y cachivaches[20] de química; que vivía en los altos de su botica[21]; personificación de la serenidad y el orden, topó un día con aquel cometa descarriado[22], vio entrar en su farmacia, de improviso[23] —con serio peligro de sus vitrinas esmeradas[24], despedido, arrastrando un caballo entre las piernas, como lanzado todo por una catapulta—, aquella bomba rodante y viviente que era Arturo Vanderbaecker.

¿Qué tiene Cuba, que los que viven aunque accidentalmente en ella acaban por quedarse, y hasta adquirir primero una familia y después una carta de ciudadanía?...

Arturo Vanderbaecker no instaló la agencia de automóviles, no emprendió negocio alguno; no hizo más que quedarse, sencillamente.

Y aquí se casó con una francesita que había amado en Buenos Aires, toda ficticia, encantadoramente ficticia, como una joya falsa bien trabajada. Frívola, alegre, soñadora, voluptuosa, amó en él el hombre de vigor, sano, valiente, de rostro que los años

17 hete aquí: aquí tienes, mira (se usa para llamar la atención sobre algo)
18 mostrador: en comercios, mesa alargada tras la que atiende el tendero o comerciante
19 balanza: instrumento para medir el peso **20 cachivache:** trasto, objeto **21 botica:** farmacia **22 descarriado:** fuera del camino, apartado de lo justo y razonable **23 de improviso:** de repente, súbitamente **24 vitrinas esmeradas:** estanterías de cristal

tornaban de una serena severidad; lo vio aureolado por todos los prestigios del dios y todos los arrestos[25] del macho; tenía ya la frente surcada[26] en el entrecejo[27] por el resplandor cegante de los trópicos, ceñuda[28] de sol, como la de los labriegos; lo vio domador de hombres, cazador de fieras en el África y lastrador[29] de mujeres entre los indios del Paraguay.

Lo amó absorbentemente; le dio en seguida tremendas escenas de celos por su automóvil, que él a veces prefería... Creyó quizás en la necesidad de la comparación para establecer un juicio cierto y apreciar más el valer de su marido, y así acabó enamorándose de otro.

Pero aquí debo ceder la palabra a mi amigo el farmacéutico haciendo antes una aclaración.

La última vez que vi a Vanderbaecker fue como al mes de su boda, que me pareció disparatada[30]. Me ausenté algún tiempo de La Habana y lo dejé a él entregado con su esposa a las mieles de los recién casados en su bella residencia, en pleno campo, situada en la provincia de Matanzas; y a mi amigo el farmacéutico, siempre en su pueblecito próximo a La Habana, entregado también, con no menos devoción que el matrimonio, a sus quehaceres, idas y venidas entre el mostrador y sus cachivaches de química.

25 arrestos: valor, arrojo **26 surcado:** (aquí) con arrugas **27 entrecejo:** espacio entre las cejas **28 ceñudo:** con la frente arrugada por enfado **29 lastrador:** en Latinoamérica, quien come vorazmente **30 disparatado:** (aquí) muy grande, exagerado

Pasaron dos meses, y recibí una carta de este. El timbre[31] del correo y, antes, su abultamiento prometedor me delataron su procedencia. De fulano, me dije.

Era larga —como suya—, con un estilo postizo[32] —como en todas—, y que yo reconocía parecido al mío, dicho sea sin modestia y sin ofender la franca admiración que me profesa[33] mi amigo y que le induce, no sé por qué, a escribir sus cartas semejantes a las mías.

Como su autor no es muy fuerte en literatura, la carta que sigue va enmendada en lo que me ha parecido oportuno, pero creo deber de lealtad el declararlo:

«Yo estaba leyendo en la rebotica[34]. Aquella noche no había venido nadie a la tertulia[35] y, de pronto, se apareció. Estaba en pie, casi frente a mí, rígido como un militar, con el cabello rubio alborotado, vestido de negro; ¡parecía una antorcha! Nunca había visto a Vanderbaecker así, pero imagino que esa sería su expresión ante los tigres y los caníbales de sus aventuras.

Me levanté asombrado, sin adelantar, haciendo retroceder el sillón con un movimiento de las piernas.

—¿Qué pasa? —le grité.

Me respondió sin abrir la boca, moviendo solamente los labios, a través de los cuales brillaban los incisivos[36] inmóviles: clavada una mandíbula[37] en la otra.

—¡Usted va a venir conmigo! —Yo comprendí la frase íntegra,

31 timbre: sello **32 postizo:** falso **33 profesar:** hacer algo con voluntad e interés
34 rebotica: parte trasera de una botica (farmacia) **35 tertulia:** charla **36 incisivos:** dientes de la parte más saliente de la mandíbula **37 mandíbula:** hueso donde están los dientes

después de pronunciada toda, sin haber oído bien cada palabra—. ¡Ella me ha engañado, traicionado, vendido! Se ve esta noche... ¡con otro! Y yo voy a matarlos.

Hizo una pausa silbante y agregó:

—¡A los dos!

Ese verbo, matar, nadie lo conjuga ni ejecuta con más seguridad que los cazadores. Cuando él dijo: 'Voy a matarlos', yo me convencí en seguida de que aquello se realizaba indefectiblemente[38]. ¿Qué fuerza podría detener a aquel hombre? Apenas intenté disuadirlo. Yo sabía que no hablaba por gusto; si él afirmaba que lo engañaban, era verdad; y si afirmaba que iba a matar, para mí, y para cualquiera que lo conociera, aquello tenía la irrevocabilidad[39] de un hecho pasado.

Tomé el sombrero y entramos en su automóvil, el automóvil que tanto quería y que yo tantas veces me había negado a probar. Comprendí que ella estaba allá, en el chalet de novios, a cien kilómetros de nosotros; y cuando la violenta arrancada[40] me hundió en el cojín del respaldo, medí con la imaginación el peligro que iba a correr al salvar la distancia llena de obstáculos, arrebatado[41] yo, inocente de todo, por la pasión de aquel hombre enfurecido. Sacrifiqué mi temor a la devoción que me inspiraba su amistad y me entregué a mi suerte.

Yo no sabía qué era correr en automóvil. Apenas el carro embocó[42] la carretera, pareció que le crecían alas. El terror,

38 indefectiblemente: obligatoriamente, que no puede faltar **39 irrevocabilidad:** que no puede deshacerse, que no se puede volver atrás **40 arrancada:** puesta en marcha de un vehículo **41 arrebatado:** con la cara roja, excitado **42 embocar:**enfilar, entrar en

el terror incontenible de morir estrellado, me inmovilizó por completo. Vi el camino, la cinta blanqueada por los reflectores[43] que alumbraban también los árboles laterales y la bóveda[44] de las frondas[45], formando todo como un túnel brillante, como un tubo de aspiración, que nos atraía a su fondo inalcanzable cada vez con mayor velocidad.

En vano procuré calmar mi excitación con reflexiones alentadoras[46]; debía confiar en la pericia[47] de aquel hombre, expertísimo en el manejo de su máquina, que dirigía y usaba como un miembro de su cuerpo. Por otra parte, había detalles que me daban una impresión ridícula de seguridad; los guantes, los grandes guantes de Vanderbaecker, me inspiraban una confianza ilimitada: ¡aquellos guantes crispados[48] sobre la dirección! ¿Podría haber algo más tranquilizador que aquellos guantes? Y sus lentes, provistos seguramente de una virtud insospechada por mí, ¿le harían ver cada piedra y cada bache[49] en el pavimento, que rodaba todo, vertiginosamente, a nuestro encuentro? Lo cierto es que sin que yo me lo explicara, sin que el aspecto del camino variara ante mi vista, ora[50] corríamos por el centro francamente, ora obligaba el carro a ir rozando las orillas. Pero todo a una velocidad inconcebible[51].

Para darme exacta cuenta de ella, me propuse fijarme en un punto visible hacia delante, y sentir el tiempo que tardábamos en dejarlo detrás. De improviso, vi algo, pero lejanísimo: la cin-

43 reflector: faro, foco **44 bóveda:** techo curvado **45 fronda:** conjunto de hojas o ramas **46 alentador:** que da ánimo, esperanzador **47 pericia:** habilidad **48 crispado:** contraído, irritado **49 bache:** hueco u hoyo en una carretera o camino **50 ora..., ora:** unas veces..., otras **51 inconcebible:** increíble

ta de luz terminaba de pronto; el sitio en que debía continuar estaba oscuro, negro; la carretera se acababa; mi espanto[52] creció a lo indecible. Apenas cuando me había percatado de[53] aquello, ya llegábamos, ya venía hacia nosotros, ya estábamos sobre el obstáculo insuperable; y súbitamente, en el punto aquel, vi surgir, como por magia, otra vez la cinta blanca; se abrió, se alargó en un salto hasta el horizonte, rodábamos por ella... El cambio de dirección del carro, inclinándome de lado sobre mi amigo, me devolvió la impresión de la realidad. ¡Horror! ¡Aquello había sido una curva!...

Desde entonces, mi martirio se intensificó en cada objeto, en cada punto lejano. Iba hipnotizado, mirando el camino rayado y deslizante[54]. Cada curva, que ya conocía de lejos, era el plazo de vida que me daba yo mismo. Pero muchas veces eran suaves, casi agradables; no sentía su desarrollo, no podía precisar cuándo empezaban ni acababan y tenía la impresión amable de que el automóvil enderezaba el camino.

Luego hubo una que creí sería la última. Era horrenda[55], imposible. Antes de atacarla, oí que el ruido del motor se modificaba y sentí en todo el cuerpo la impresión áspera[56] del frenaje; a pesar de todo, entramos como una tromba[57]. Vencido el primer sector, la máquina se impulsó de nuevo; tuve intenciones de gritar '¡eh, todavía no se ha acabado!, ¡retranque[58], retranque!'. Pero no pude, ya la vencíamos,

52 espanto: susto muy grande **53 percatarse de:** darse cuenta, notar **54 deslizante:** que resbala **55 horrendo:** feísimo **56 áspero:** desagradable, no suave **57 tromba:** algo que entra de golpe y con fuerza **58 rentrancar:** frenar

pegados al borde interno —¡una cosa horrible!—, con las ruedas mordiendo la cuneta[59]...

Las frases se me subían a la garganta; frases de súplica, de amenaza, de espanto: '¡No más! ¡Por Dios! ¡Me tiro, me tiro!'. Pero no podía hablar, ni moverme.

Pensaba, yo también, a toda máquina[60]. Deseaba con toda mi alma que se partiera una pieza, que se ponchara[61] un neumático.

Y así, en aquella carrera desaforada[62], empezamos a atravesar pueblos, pueblos dormidos. Entrábamos por un lado, pasábamos a través como en un vuelo, volvía la carrera; todo en tan corto tiempo, que yo veía imposible que las ruedas hubieran girado más de diez veces. Y todas las casas se perseguían furiosamente, en un desfile fantástico, por nuestro lado; mientras yo suponía un punto, allá atrás, en que se alcanzarían los edificios en fuga y el pueblo todo no sería más que un amontonamiento de casas destruidas, encaramadas[63] en ruinas, unas sobre otras.

Pasaban pueblos. Yo pensaba que algunos habían sido creados por la carretera; en ellos hacía las veces de calle central; y otros la hacían oblicuar, la obligaban a ir a visitarnos, desviándola de su línea recta —a estos había que atravesarlos casi siempre en zigzag. Sentía simpatías por los primeros, los

59 cuneta: zanja a cada uno de los lados de un camino **60 a toda máquina:** a gran velocidad **61 ponchar:** en Cuba, pinchar **62 desaforado:** desmedido, excesivo
63 encaramado: levantado o subido

humildes, los que no perturbaban la rectitud majestuosa del camino.

Entramos luego en una calzada[64], ancha, plana, pulida; no sé cómo se nos puso delante. No tenía árboles, sino postes, postes largos, fríos, como graves señores estirados. Pasábamos por entre ellos, en dos filas; rígidos, iguales, como soldados en una parada. Los oía zumbar[65], venían a galope, y pasaban, pasaban, arrebatados de inmovilidad.

De pronto, el pavimento erizado[66] nos hacía salir; el salto continuo, disimulado en la rapidez, era una trepidación[67] desagradable; una curva, una reja[68] abierta, y una casa blanca detrás. La luz de los reflectores chocó en la fachada fieramente. No creí que el automóvil pudiera atravesar la puerta de la reja, pero pasó de modo milagroso. Siguió con rapidez irreverente la curva ceremoniosa del sendero[69] de grava, y se detuvo brusco, como un potro[70] espantado, ante la escalinata. Me fui de bruces.

La mano derecha me dolía mucho. Entonces me di cuenta de que había estado agarrado con todas mis fuerzas a no sé qué cosa dura, creo que a la portezuela que me quedaba al lado. Sentía la cara quemada por la ráfaga[71].

Salí tambaleándome[72] y subí al portal. Vanderbaecker salía ya de la casa.

64 calzada: carretera **65 zumbar:** ruido que a hacen los insectos al volar **66 erizado:** cubierto de espinas, (aquí) no liso **67 trepidación:** temblor fuerte **68 reja:** (aquí) puerta de barrotes de hierro en una pared **69 sendero:** camino **70 potro:** caballo joven **71 ráfaga:** destello de luz **72 tambalearse:** moverse sin mantener el equilibrio

—¡Se han ido! —aulló[73]. Estaba horrible.

Saltó al timón[74] y proyectó la luz de un reflector movible hacia un costado de la casa. Vi el garaje, abierto de par en par, vacío, que me pareció la nave[75] desalquilada de un taller.

En seguida el motor acreció su ronquido monótono, y lo llevó hasta la desesperación; Vanderbaecker no se ocupó de mí. El aparato arrancó de un salto; desapareció tras un macizo de plantas, reapareció en seguida, y aquella máquina diabólica salió otra vez disparada, franqueando de modo inverosímil la reja por donde no cabía...

Yo quedé solo, a oscuras, ensordecido, imbécil, calculando vagamente el tiempo que tardaría en recorrer a pie la distancia que me separaba de casa...

Sentado en el suelo, sobre la piedra fría, con las piernas colgando sobre la escalinata de mármol, apoyado como un muñeco medio caído contra el pie de una columna, dejé que la noche negra y luego la madrugada penetrante de frío sirvieran de sedante a mis nervios que eran solo una papilla[76] miserable.

Ya el cielo empezaba a adquirir ese color blancuzco y tierno del amanecer; veía ya el jardín; el sendero amplio de grava por donde había llegado allí, conducido sobre las cuatro ruedas dementes que habían enrollado cien kilómetros de carretera en gomas invulnerables; veía una fuente frente a mí, el macizo

73 aullar: lo que hacen los perros y lobos cuando emitien un sonido prolongado
74 timón: (aquí) la rueda de dirección del coche, el volante **75 nave:** local amplio que hace de taller o almacén **76 papilla:** puré, líquido espeso

de plantas, el césped verde y húmedo, la reja alta, por donde se había ido aquello; por donde Vanderbaecker había salido con el motor a toda marcha; feroz, decidido, incansable, con el aspecto de un tigre hambriento que va de cacería.

Y a esa hora, pasó por el camino algo en cuya existencia no creía ya, tal era mi impresión de abandono: un hombre.

Era un lechero que iba en su carrito tirado por un caballo flaco y obstinado[77]. Iba cantando. Le grité, corrí, detuvo el carro, trepé al pescante[78], y me fui, no sé a dónde, a donde fuera él; con el propósito de llegar a un pueblo cualquiera, a una estación de ferrocarril por donde pasaran trenes; un tren, no me importaba cuál.

Permanecí callado después de las palabras forzosas. Y allí, al lado de aquel hombre que parecía indiferente y yo adivinaba receloso[79], me puse a suponer lo que habría sido de mi amigo; cuál habría sido su venganza, que seguramente ya estaba cumplida. De pronto, imaginé algo tan horrible y tan natural, que me estremecí[80] todo y sentí cómo el cabello me tiraba del cráneo[81]...

Sí, eso era, seguramente. Lo veía, con una claridad tal, como si lo recordara. Los había matado con el automóvil; con la máquina que dirigía como un caballo dócil, que quería como a una amante, que le obedecía como un perro fiel. Lo vi alcanzar su otra máquina, la que se llevaba al infame con su esposa

77 obstinado: tozudo, empeñado en algo **78 pescante:** asiento exterior desde el que se gobiernan las mulas o caballos **79 receloso:** desconfiado, temeroso **80 estremecerse:** temblar de miedo **81 cráneo:** conjunto de huesos que forman la cabeza

criminal; reconocerla; calcular con una seguridad matemática la velocidad a que marchaban, el sitio a donde se dirigían; medir y comparar caminos traviesos[82], rodeos de adelante; salir de la carretera, tomar otro rumbo; y corriendo, volando, a todo lo que daba su carro portentoso[83], con una furia en que se mezclaban la indignación del burlado[84], la intención asesina y el amor propio del *chauffeur*, alcanzarlos, pasarlos, entrar de nuevo en la carretera, y volver sobre ella, en dirección contraria a la que llevaba la máquina fugitiva; atisbarla[85], seguro de su maniobra de cazador; verla al fin aparecer, corriendo hacia él; y entonces, con la decisión más afirmada en el instante supremo de su venganza, sin disminuir su velocidad, ni apagar los reflectores poderosos; sino, encandilando[86] al otro, tomando el centro exacto del camino, seguir con el pie clavado en el acelerador, confiado plenamente en su pericia funesta[87].

Vi las dos máquinas enfrentarse, el zigzag de huida de la una; el zigzag de caza, inverso e igual, que le imprimiría Vanderbaecker a la suya, y en un instante, chocar, incrustarse la una en la otra con un estruendo[88] horrible de explosión; y sin que se oyera un grito, una palabra, nada, quedar después todo en el silencio de la noche negra, y el permanecer allí, bajo la madrugada penetrante de frío, hasta descender la luz tierna y láctea del amanecer sobre el grupo macabro...

82 travieso: (aquí) con curvas, cruces y giros **83 portentoso:** extraordinario, singular **84 burlado:** engañado **85 atisbar:** ver confusamente **86 encandilar:** deslumbrar, cegar con una luz **87 funesto:** (aquí) mortal **88 estruendo:** ruido muy fuerte

Iba tan abstraído[89], tan sugestionado, que me encontré de improviso fuera del asiento, casi a gatas, con las manos apoyadas sobre el rebote[90] de madera del pescante, mirando atentamente el arnés del caballejo obstinado en su marchita inalterable.

Y al volver a la realidad, como si ella respondiera a la última escena aterradora de mi cerebro fatigado, vi, vi con mis propios ojos, caído a la izquierda, en la cuneta profunda, el grupo indescriptible.

Dos automóviles —dos cosas que habían sido automóviles—, agarrados en un abrazo mortal y triturador[91]; estaban casi de pie, como esas cartas que se apoyan una en otra en cierto juego de naipes[92]; los dos motores mezclados, fundidos en una misma masa informe, las carrocerías[93] destrozadas; sin parabrisas[94], con las ruedas descentradas o torcidas, contraídos los estribos[95] en una violenta ondulación: todo era una sola cosa erizada y rota. Las máquinas parecían haber vivido; semejaban cadáveres. Se veía que en aquellas dos bestias mecánicas había existido la voluntad de formar una sola, de penetrar la una en la otra hasta desaparecer; y el grupo tenía el aspecto bárbaro de una salvaje escena de amor entre dos aparatos.

Una era la máquina fantástica, la máquina de carrera de Vanderbaecker, y otra, una *limousine* débil, que también era

89 abstraído: absorto, pensado en algo diferente a lo que se hace **90 rebote:** (aquí) borde **91 triturador:** destructor **92 naipes:** cartas de juego de mesa **93 carrocería:** la parte exterior de un vehículo **94 parabrisas:** el cristal de la parte delantera de un vehículo **95 estribo:** (aquí) pieza lateral donde se apoya el pie para entrar en un vehículo

suya: su máquina de paseo, charolada[96] y encristalada toda. Me fue difícil reconocerla.

¿Qué celo formidable de mecanismo de acero había precipitado al macho contra la hembra hasta llegar a la posesión plena y mortal?

Y allí, amasados con hierros y astillas[97], estaban los tres: un hombre sin cara, al pie de un árbol, en cuyo tronco había untada parte de su cabeza; una mujer, hecha una bola sanguinolenta de carne con faldas; y dentro de la *limousine*, como si hubiera saltado sobre los culpables espantados, mi amigo, clavado de cabeza; la elegante gorra de *chauffeur* aplicada violentamente al cráneo, con una rotura por donde asomaba la masa cerebral; no se le veían los ojos; los brazos torcidos y un pedazo del volante[98] saliéndole del pecho...

Y yo buscaba, loco, seguro de hallarlo, el otro cadáver que faltaba, el otro cadáver que debía estar allí».

Algunos amigos, de los pocos que tengo que puedan reconocer un cuento escrito por mí, quizás me atribuyan este; pero como ello pudiera enojar justamente al hombre que viajó en la máquina voladora de Vanderbaecker, quiero aclarar que a él es a quien debo su argumento, y que yo solo he puesto lo que mi amigo el farmacéutico no podía tener en su carta. Conste[99] así.

FIN

«En automóvil», de Rubén Martínez Villena. Publicado en la revista *Chic*, 1921.

96 charolado: brillante (de charol) **97 astilla:** trozo pequeño de madera **98 volante:** rueda de dirección de un vehículo **99 constar:** registrarse, normalmente por escrito

GLOSARIO

ESPAÑOL	INGLÉS	FRANCÉS	ALEMÁN
1 vértigo	giddiness	vertige	Wahnsinn, Schwindel
2 franqueo	postage	affranchissement	Frankierung
3 curtido	weather-beaten	tanné	vom Wetter gezeichnet
4 alarde	display	étalage	Darstellung
5 azar	chance	hazard	Zufall
6 recrearse	to enjoy	se délecter	sich vergnügen
7 minucioso	meticulous	minutieux	minuziös
8 inverosímil	improbable	invraisemblable	unglaubwürdig
9 fornido	well-built	robuste	stämmig
10 rumbo	course	en direction de	Richtung
11 pampa	grassland	pampa	Pampa, Steppe
12 gaucho	Argentinean cowboy	gaucho	argentinischer Cowboy
13 bolas	lasso with stones at ends	bolas, arme de jet	Lasso mit Steinen an den Enden
14 cordillera	mountain range	chaîne de montagnes	Bergkette
15 pródigo	extravagant	prodigue	verschwenderisch
16 enredarse	entangled	embrouiller	verworren
17 hete aquí	lo and behold	et voici	Wer hätte das gedacht!
18 mostrador	counter	comptoir	Theke
19 balanza	scale	balance	Waage
20 cachivache	device	ustensile, babiole	Gerät
21 botica	pharmacy	pharmacie	Apotheke
22 descarriado	lost	égaré	verloren
23 de improviso	unexpectedly	à l'improviste	unerwartet

ESPAÑOL	INGLÉS	FRANCÉS	ALEMÁN
24 vitrinas esmeradas	meticulous cabinets	vitrines soignées	akkurate Vitrinen
25 arrestos	boldness	vigueur	Verwegenheit
26 surcado	grooved	sillonnée	zerfurcht
27 entrecejo	brow	espace entre les sourcils, glabelle	Bereich zwischen den Augenbrauen
28 ceñudo	frowning	renfrogné, taciturne	stirnrunzelnd
29 lastrador	insatiable	insatiable	unersättlich
30 disparatado	exaggerated	absurde	verrückt
31 timbre	stamp	timbre	Stempel
32 postizo	artificial	artificiel	künstlich
33 profesar	to profess	professer	etwas ausüben
34 rebotica	back room	arrière-boutique	Lagerraum
35 tertulia	literary gathering	réunion littéraire	Gesprächskreis
36 incisivos	incisor teeth	incisives	Schneidezähne
37 mandíbula	jaw	mandibule	Kiefer
38 indefectiblemente	inevitably	inévitablement	unvermeidlich
39 irrevocabilidad	irrevocableness	irrévocabilité	Unwiderruflichkeit
40 arrancada	start	démarrage	Start
41 arrebatado	distraught	emporté, impétueux	mit Gewalt entreißen
42 embocar	turn onto	s'engager dans	einbiegen
43 reflector	headlight	phare	Scheinwerfer
44 bóveda	vault	voûte	Gewölbe
45 fronda	foliage	feuillage	Blätterdickicht
46 alentador	encouraging	encourageant	ermutigend
47 pericia	expertise	habileté, expérience	Erfahrung
48 crispado	tense	crispé	angespannt

ESPAÑOL	INGLÉS	FRANCÉS	ALEMÁN
49 bache	pot hole	nid-de-poule	Schlagloch
50 ora..., ora	now..., now	tantôt ..., tantôt	bald...bald
51 inconcebible	inconceivable	inconcevable	unbegreiflich
52 espanto	fear	frayeur	Entsetzen
53 percatarse de	to notice	s'apercevoir de	etwas bemerken
54 deslizante	slippery	glissant	rutschig
55 horrendo	terrible	horrible	entsetzlich
56 áspero	abrupt	abrupt	abrupt
57 tromba	whirlwind	trombe	Wirbelwind
58 retrancar	to brake	freiner	bremsen
59 cuneta	ditch	fossé	Straßengraben
60 a toda máquina	at full speed	à toute vitesse	mit vollem Tempo
61 ponchar	tp puncture	crever	eine Reifenpanne haben
62 desaforado	wild	démesuré	gewaltig, wild
63 encaramado	piled	juché	errichtet
64 calzada	road	chaussée	Fahrbahn
65 zumbar	to buzz	bourdonner	surren, brummen
66 erizado	bristling	hérissé	uneben, holprig
67 trepidación	vibration	trépidation	Erschütterung
68 reja	security fence	grille	Gitter
69 sendero	path	sentier	Pfad
70 potro	young horse	poulain	Fohlen
71 ráfaga	flash of light, gust	rafale	Windböe
72 tambalearse	to stagger	chanceler	taumeln
73 aullar	howl	hurler	jaulen
74 timón	steering wheel	volant	Lenkrad

ESPAÑOL	INGLÉS	FRANCÉS	ALEMÁN
75 nave	warehouse	hangar	Lagerhalle
76 papilla	pulp	bouillie	Brei
77 obstinado	stubborn	obstiné	stur
78 pescante	coachman's seat	siège du cocher	Führersitz bei einer Kutsche
79 receloso	distrustful	méfiant	misstrauisch
80 estremecerse	to shudder	frémir	erschauern
81 cráneo	skull	crâne	Schädel
82 travieso	curvy	espiègle	kurvig
83 portentoso	extraordinary	prodigieux	wunderbar
84 burlado	cuckhold	trompé	Betrogener
85 atisbar	to glimpse	entrevoir	erspähen
86 encandilar	to illuminate, dazzle	éblouir	blenden
87 funesto	mortal	funeste	unheilvoll
88 estruendo	loud noise	grondement	großer Lärm
89 abstraído	distracted	distrait, absorbé	entrückt
90 rebote	edge	bord	Kante
91 triturador	crushing	broyeur	questschend
92 naipes	playing cards	cartes	Spielkarten
93 carrocería	autobody	carrosserie	Karosserie
94 parabrisas	windshield	pare-brise	Frontscheibe
95 estribo	running board	marchepied	Trittbrett
96 charolado	lustrous	métallisé, brillant	schimmernd
97 astilla	splinter	écharde	Span, Splitter
98 volante	steering wheel	volant	Lenkrad
99 constar	to be stated	conster	vermerken, bezeugen

ACTIVIDADES

A. Elija la respuesta adecuada según el texto.

1. Las cartas que se escriben el farmacéutico y el narrador del relato necesitan franqueo extraordinario
- **a.** porque viven muy lejos el uno del otro.
- **b.** por el peso de su contenido.
- **c.** porque incluyen objetos que ilustran el contenido.

2. Por las venas de Arturo Vanderbaecker corría sangre
- **a.** danesa, noruega, española y cubana.
- **b.** noruega, cubana y española.
- **c.** noruega, cubana, española y británica.

3. Vanderbaecker llegó a Cuba con la intención de establecer
- **a.** una fábrica de automóviles.
- **b.** una empresa de coches de carreras.
- **c.** una agencia de un fabricante norteamericano de coches.

4. Se casó con una mujer francesa que
- **a.** había conocido anteriormente en otro continente.
- **b.** que hizo lo imposible por despertar sus celos.
- **c.** al poco tiempo de su boda se empeñó en compararle con otros.

5. El que finalmente nos cuenta la historia trágica de Vanderbaecker es
- **a.** el amigo del farmacéutico.
- **b.** el propio farmacéutico.
- **c.** ninguno de los dos.

B. Relacione las palabras con su definición y complete después el texto con algunas de ellas.

1. plácido	**a.** Constancia en la realización de algo.
2. rudo	**b.** Camino o dirección que uno se propone seguir.
3. rumbo	**c.** Detallista, cuidadoso con los detalles.
4. perseverancia	**d.** Que gasta en exceso y sin pensarlo.
5. inverosímil	**e.** Quieto, tranquilo y agradable.
6. minucioso	**f.** Que resulta difícil de creer, que no tiene apariencia de verdad.
7. tenaz	**g.** Difícil de realizar o soportar. Duro.
8. adulteración	**h.** Persona de Hispanoamérica.
9. derrochador	**i.** Persona que tiene firmeza y perseverancia para cumplir un objetivo.
10. criollo	**j.** Alteración de la calidad o pureza de algo.

Vanderbaecker era una fusión perfecta y equilibrada de genes caribeños y europeos. Era un hombre curtido, dulce y decidido. Su **(11)** .... sajona combinada con la creatividad caribeña hacían de él un hombre **(12)** .... capaz de alcanzar aquello que se propusiera. Cuando viajaba lo hacía bebiéndose la vida, renunciaba conscientemente a su papel de turista **(13)** .... y acomodado y vestía como los naturales, llegando incluso a realizar el **(14)** .... trabajo del campo para gastar su exceso de energía. Vivió en París como un parisién y se convirtió en explorador en las selvas africanas y fue allí donde, gracias a un disparo **(15)** ...., conoció al presidente de una república americana que le hizo cambiar su **(16)** .... y abrazar un nuevo proyecto:

conocer y recorrer América. En ese continente estudió y trabajó, terminando por instalarse en Cuba. Precisamente allí, y por su costumbre de vivir fuera de la **(17)** .... ciudadana, viajó al campo y por azar y por montar como un **(18)** .... conoció al farmacéutico.

C. Elija el tiempo verbal que le parezca más adecuado. Elija entre: *moverse, nacer, ser (2), creer, topar, ausentarse de, vivir (2), tener, hacer, fundarse en, ver, poder, hallarse.*

Después del accidente el farmacéutico le **(1)** .... la primera cura con rara habilidad. Ese día **(2)** .... la amistad entre ellos, amistad que yo nunca **(3)** .... precisar en lo que **(4)** ....; porque pocas veces **(5)** .... dos caracteres más diametralmente opuestos que los de aquella pareja de amigos. **(6)** .... mucho, desde entonces, que en la buena amistad, como en los matrimonios felices, los interesados **(7)** .... cantidades complementarias.

Y hete aquí, al fin explicado, cómo aquel farmacéutico, que no **(8)** .... de su pueblo más que una o dos veces por año para ir a recoger sus notas bien ganadas en la Universidad, que no **(9)**................ ya más que en el trecho comprendido entre su mostrador y sus morteros, balanzas y cachivaches de química; que **(10)** .... en los altos de su botica; personificación de la serenidad y el orden, **(11)** .... un día con aquel cometa descarriado. **(12)** .... entrar en su farmacia, de improviso —con serio peligro de sus vitrinas esmeradas, despedido, arrastrando un caballo entre las piernas, como lanzado todo por una catapulta—, aquella bomba rodante y viviente que **(13)** .... Arturo Vanderbaecker.

¿Qué **(14)** .... Cuba, que los que **(15)** .... aunque accidentalmente en ella acaban por quedarse, y hasta adquirir primero una familia y después una carta de ciudadanía?...

D. Explique con ejemplos la diferencia de significado de cada par.

1. cuneta / acantilado

....

....

2. bestia / animal

....

....

3. enojar / molestar

....

....

4. fortuna / azar

....

....

5. ficticio / falso

....

....

E. Relacione primero las dos columnas con la preposición adecuada y después con su significado según el cuento.

1. Saber		**a.** boca de alguien
2. Desear	**por**	**b.** quedarse en Cuba
3. Entregarse	**de**	**c.** par en par
4. Abrir	**al**	**d.** los viajes
5. Acabó	**a**	**e.** toda el alma
6. Fijarse	**en**	**f.** los detalles
7. Tener el rostro curtido	**con**	**g.** servicio de
8. Ponerse		**h.** los placeres de la vida

9. Querer encarecidamente que ocurra o pase algo
10. Abrir completamente
11. Trasladarse definitivamente a otro país
12. Tener la cara con marcas que hablan de experiencias
13. Ponerse a disposición de alguien
14. Prestar atención a algo determinado
15. Abandonar su espíritu a experiencias agradables
16. Conocer por lo que cuentan los demás

F. Hacia el final de la historia descubrimos otra cara del personaje principal del cuento. ¿Qué le parece su reacción? ¿Es justificable, comprensible? ¿Le sorprende?

G. ¿Los celos son una manifestación de amor o de posesión? ¿Son necesarios o evitables en las relaciones familiares o de pareja?

H. Elija una de estas frases, intente explicar su significado, comentar si está a favor o en contra y por qué:

El que es celoso, no es nunca celoso por lo que ve; con lo que se imagina basta. Jacinto Benavente *(1866-1954), dramaturgo español.*

El que no tiene celos no está enamorado.
San Agustín *(354-430), obispo y filósofo español.*

Si los celos son señales de amor, es como la calentura en el hombre enfermo, que el tenerla es señal de tener vida, pero vida enferma y mal dispuesta. Miguel de Cervantes *(1547-1616), escritor español.*

El amor es fuerte como la muerte; los celos son crueles como la tumba. Salomón *(970 AC-931 AC), rey de Israel.*

Celos son hijos del amor, mas son bastardos, te confieso.
Lope de Vega *(1562-1635), poeta, novelista y dramaturgo español.*

SOLUCIONES EN LA PÁGINA 126

SOLUCIONES

MÍSTER TAYLOR (p. 33)

A. 1: b 2:c 3: a 4: a 5: b 6: c
B. 1: los nativos - pintoresca - notable 2: pese a que - llegó a la evidencia de - extrañamente
3: gran - determinó 4: elegante - pero - ordinario 5: carencia - necesario - implantó
6: dedujo - la unica solución - provocar
C. 1: Como dice - si no se siente 2: de que su negocio - en corto tiempo
3: en algo muy popular - extendió 4: cualquiera tenía - escupirle a la cara
5: hicieron todos los esfuerzos - hacerles la guerra
6: estaba totalmente convencido - podría / podía encontrar
D. 1: b 2: b 3: b 4: a 5: b 6: b 7: b

ABRIL ES EL MES MÁS CRUEL (p. 53)

A. 1: b 2: c 3: c 4: a
B. 1: a - de 2: al - a - en / por - en / por - en / por - en / por
3: en - hacia - a 4: ante / por 5: en - por
6: en - de - al - con - contra / en
C. 1: tibieza - c 2: tentativa - e 3: remoto - f 4: delantal - g 5: crepúsculo - d
6: liquidar - b 7: hoyo - a
D. 1: Estuvo / Estaba 2: bajaba 3: Era 4: convertía 5: fue 6: comenzó 7: Miró 8: vio
9: movió 10: dejó 11: afincó 12: suspendió 13: dejó 14: era
E. 1: iba a - no era exactamente 2: vio sus tobillos - bien dibujados
3: los entrecerró - eran largas y curvas 4: habían llegado 5: por dentro - con la mano

LA NOCHEBUENA DE ENCARNACIÓN MENDOZA (p. 85)

A. 1: f (desgraciadamente no estaba en sus cálculos que el sol calentara ligeramente a esas horas) 2: v 3: f (el niño no piensa nada en especial, se limita a seguir las órdenes de su madre) 4: f (aunque pidió permiso, lo hizo tan rápido que no dio tiempo a nadie a tener una reacción) 5: v 6: f (el cabo Pomares fue asesinado seis meses antes)

7: f (no hubo amenaza alguna, solamente le clavó una mirada fija que lo llenó de miedo)
8: v 9: f (había una gran distancia ya que el cuerpo fue trasladado en burro)
10: f (confesó que esa era la persona que había visto en el cañaveral)
B. 1: legua 2: inerte 3: guarecerse 4: fugitivo 5: precoz 6: empapado 7: cautela
8: disponer 9: trepar 10: desfallecer 11: afán 12: murmullos 13: escondite
14: trotar 15: cachorro 16: enredarse
C. 1: podría - dijera - estaba 2: vivía - tenía - estaban 3: oyó - estaba - se detuviera
4: empezó - supiera - era 5: ordenó - fuera - dijera - enviaran 6: dispararon - intentaba
D. 1: sacar conclusiones 2: yacer bocarriba 3: dar cuenta de algo 4: jugar en su contra
5: apurar el paso 6: no tener pelo de tonto 7: hacerse el dormido 8: echar a correr
9: costar la vida 10: morirse de pena 11: partir el alma 12: valer la pena
13: meterse en un lío 14: jugar en su contra 15: no tenía pelo de tonto
16: le partía el alma 17: se había metido en un lío

EN AUTOMÓVIL (p. 118)

A. 1: b 2: a 3: c 4: c 5: a
B. 1: plácido - e 2: rudo - g 3: rumbo - b 4: perseverancia - a 5: inverosímil - f
6: minucioso - c 7: tenaz - i 8: adulteración - j 9: derrochador - d 10: criollo - h
11:perseverancia 12: tenaz 13: plácido 14: rudo 15: inverosímil 16: rumbo
17: adulteración 18: criollo
C. 1: hizo 2: nació 3: he podido 4: se fundaba 5: se han hallado 6: Creo 7: son
8: se había ausentado 9: se movía 10: vivía 11: topó 12: Vio 13: era 14: tiene 15: viven
D. 1: *cuneta* es una zanja que hay a ambos lados de la carretera principalmente para recoger el agua de la lluvia / *acantilado* hace referencia a la costa rocosa cortada verticalmente
2: *bestia* se refiere a animales de carga generalmente domésticos. Como apelativo puede significar bruto, poco delicado / *animal* es un ser orgánico que vive, siente y se mueve. Se puede referir también a una persona grosera o ignorante
3: *enojar* es enfadar / *molestar* es causar incomodidad aunque en algunos países de Iberoamérica significa también enfadar
4: *fortuna* se refiere a la riqueza, pero a veces también puede referirse a la buena suerte / *azar* es casualidad, a veces también significa suerte
5: *ficticio* significa que no es real, que es imaginario / *falso* es algo que no corresponde a la verdad, que no es auténtico.
E. 1: por - a - 16 2: con - e - 9 3: a - h - 15 4: de - c- 10 5: por - b - 11
6: en - f - 14 7: por - d - 12 8: al - g - 13